(3)

Autoras: Encina Alonso, Matilde Martínez Sallés, Neus Sans

Coordinación editorial y redacción: Montse Belver
Diseño y dirección de arte: Enric Font
Maquetación: Enric Font i Marta Girabal
Ilustración: Javier Andrada, Enric Font, Man, Pablo Moreno y David Revilla
Documentación: Olga Mias

Imágenes: © Frank Kalero **excepto**: © pág. 10 Diputació de Lleida (Pirineos); pág. 11 Marlee/Dreamstime.com (playa), García Ortega (Buenos Aires); pág. 12 Sociedad Regional de Turismo del Principado de Asturias / Antonio Vázquez (Asturias), John Armstrong (Cantábric o), Mon (País Vasco), Maribel Balius (Donostia), Gonzalo Antonio (Cantábrico); pág. 14 Getty Images (chicos), Enric Font (vías tren); pág. 16 Enric F ont (camino), Robert Escardo (tren de las nubes), Jesús Ramírez (Camino de Santiago); pág. 17 García Ortega (1), V alle Collado (2), Mike Berg (3), M on (4, Chillida), Israel Aranda (5); pág. 19 PromPerú; pág. 20 Mon (globo terráqueo), Martin Land (brújula), Yiannis P apadimitriou (mochilas); pág. 23 A licia y Emilio (álbum Adriana), Mon (Manu y Laura); pág. 25 John Leaver/ Dreamstime.com (rayo), Robert Red2000 (hámster), Sylwia K ucharska/Dreamstime.com (boca), Pol Wagner (iguana); pág. 28 indi.es / Junta de Castilla y León; pág. 33 Manuel Ballestin; pág. 39 Bluestocking / Dream stime.com (cortinas), Thedragoo / Dreamstime.com (sillas), Da_kuk / Dreamstime.com (máscaras); pág. 40 La T roba Kung Fú / Fourni Produccions Sonores, José A. Gálvez (máscaras); pág. 41 ALBUM (*Bodas de sangre*); pág. 43 y 44 P ol Wagner (teatro), Heath Doman (sombrero), Radu Razvan (máscara), Mstephan / Dreamstime.com (careta), Jean Scheijen (guantes); pág. 50 Graça Victoria (Giralda), Jaime Corpas (el Rocío), Heiko Sonntag (Cór doba), Carlos Paes (Ronda), Kirsty Pargeter (bobina), ALBUM (*El Zorro*, *Matrix*); pág. 51 García Ortega (La P edrera); pág. 55 Carmen Martínez Banús (gazpacho), Kat Wilkens (tacos), García Ortega (dulce de leche); pág. 56 Ministerio de Sanidad y Consumo; pág. 59 Encina Alonso (abuela), K einu Producciones (jarro), Michael Connors / morguefile (radio); pág. 60 PLAN NACIONAL SOBRE DROGAS (Ministerio de Sanidad y Consumo); pág. 66 UNICEF / HQ 98-0718 / Alejandro Balaguer, UNICEF / HQ95-1115 / Giacomo Pirozzi, UNICEF / HQ05-0316 / Josh Estey; pág. 67 Cadena Ser (cartel), Save th e Children (niño); pág. 68 AFP; pág. 69 Verónica Virga / Movimiento Nacional de los Chicos del P ueblo (www.pelotadetrapo.org.ar); pág. 70 García Ortega; pág. 73 AFP; pág. 77 Núria L. Ribalta ('Fugida'); NASA Johnson Space Center (NASA-JSC); pág. 81 García Ortega (1), Hikari / Morguefile (2), Enrique Hervás (3); pág. 83 Chrissi Nerantzi (clavel), Dave Hamilton (barcas); pág. 84 M.Dilsiz (zapatos), F undación Federico García Lorca (F. G. Lorca), Europa Press (M. Benedetti), Mary Evans / ACI (P. Neruda); pág. 86 Fernando de Szyszlo / arte dos gráfico / F estival Internacional de Poesía de Medellín; pág. 87 Grupo Escombros. Artistas de lo que queda; Ester P artegàs / Cortesía de Galería Helga de Alvear, Madrid; pág. 89 AFP (J. Miró), © Salvador Dalí, Fundació Gala-Salvador Dalí, VEGAP, 2007 (S. Dalí); pág. 93 pipo, pág. 95 Colita / CORBIS; El español mes a mes: Enric F ont (enero); Balaguer Alejandro / COR-BIS SYGMA / COVER (febrero); Conselleria de Turisme de la Comunitat Valenciana (marzo); García Ortega (abril); AFP (mayo); K eren Su / CORBIS / COVER (junio); Servicio de Promoción e Imagen Turística del Gobierno de Navarra (julio), AFP (agosto); Carol Gale (septiembre); Digishooter / Fotolia (octubre), NOTIMEX / AFP (noviembre); María Manzanera (diciembre).

Textos: págs. 66 y 75 UNICEF (Convención para los Derechos del Niño, Manifiesto 2000); pág. 69 Movimiento Nacional de los Chicos del Pueblo (www.pelotadetrapo.org.ar); págs. 78 y 79 Pablo Neruda, "SonetoLXVI" en *Cien sonetos de amor*, Barcelona, Seix Barral, 1993 (2); Mario Benedetti, "Viceversa" en *El amor, las mujeres y la vida*, Madrid, Alfaguara 2002 (3); F. García Lorca, "Reyerta" en *Romancero Gitano*, 5ª edición, Barcelona, Editorial Óptima (5); Pablo Neruda, "Oda al átomo" en *Odas elementales*, Madrid, Editorial Cátedra (9); Jaime Sabines, "Poema de la luna" en *Otros poemas sueltos (1973-1994)* (10); "Octavio Paz, "Sonetos, II" en *Libertad bajo palabra*, Madrid, Editorial Cátedra (11).

Agradecimientos: Mario Alegre (indi.es), Alicia y Emilio, Aurelia L . Almodóvar, Nieves Álvarez, Beatriz Amieva, Manu Belver, Cadena SER, Alejandro Galán y Francisco Gallego (Junta de Castilla y León), Joan Garriga y La T roba Kung Fú, Alicia González y Adriana González, Olatz González y Save the Children, IES Palau Ausit de Ripollet (y a sus alumnos: Y aheydy Aranza, Michael Borrero, Elena Galera, Nabil Gouaamar, Iris Guiner, Miriam López, Zakaria El Mouss, Sara Navarrete, Alba P ampín, Berenice Puntillo, Marta Sáez, Carlos Torrejón) Leire (Keinu Producciones), Catherine López, María Dolores Oteiza, Ester Partegàs, Paula y Pelota de Trapo, Fernando Rendón, Núria Ribalta, Ana Belén Del Río, María José Rivas (Ministerio de Sanidad y Consumo), UNICEF (Elena Crego, Helena Reina, Amalia Navarro y Rocío Gisbert), María Laura Zoya y Grupo Escombros, P ol Wagner.

Grabación: Estudios CYO. **Canciones**: "La fruta fresca" de Carlos Vives (interpretada por Carlos Yélamos); "Sólo le pido a Dios" de León Gieco (interpretada por Emilio Alquézar); "Mírame" de La T roba Kung Fú. **Voces**: Joshua Cortés, Daniel García, Pablo Garrido, Patricia Gruber, Raquel López, Jorge Peña, Berenice Puntillo, Santiago Puntillo, Marc Rúa, Albert Martín, Natalia Rodríguez y Núria Sánchez.

© Las autoras y Difusión S.L. Barcelona 2006

ISBN: 978-84-8443-359-0
Depósito legal: B-41.223-2010

Reimpresión: noviembre 2010
Impreso en España por Novoprint

difusión

Centro de
Investigación y
Publicaciones
de Idiomas, S. L.

C/ Trafalgar, 10, entlo. 1ª
08010 Barcelona
Tel (+34) 93 268 03 00
Fax (+34) 93 310 33 40
editorial@difusion.com

www.difusion.com

Gente JOVEN

3

Curso de Español para Jóvenes

Encina Alonso
Matilde Martínez Sallés
Neus Sans

¿Cómo funciona

Gente joven está diseñado siguiendo el enfoque por tareas. ¿Qué quiere decir esto? Pues que creemos que las lenguas se aprenden sobre todo haciendo cosas con ellas, usándolas para comprender y para decir cosas interesantes y divertidas. Se aprende a hablar, hablando y a escribir, escribiendo, como se aprende a bailar o a jugar al fútbol, practicando.

Aprender así te va a obligar a participar activamente en clase. No esperes que te lo expliquen todo. Puedes descubrir muchas cosas por ti mismo o con ayuda de tus compañeros. Y verás, ¡aprender un idioma puede ser muy divertido!

Cada unidad empieza con una **portadilla** en la que se explica qué vamos a hacer y qué vamos a necesitar para hacerlo.

En las páginas siguientes encontrarás una serie de **actividades y ejercicios**. Leyendo textos, escuchando las grabaciones, jugando, haciendo teatro, escribiendo en grupo, etc., vamos a explorar cómo funciona el español y a hacer pequeñas experiencias usándolo para comunicarnos con nuestro profesor y con los compañeros de clase.

Este icono indica que puedes escuchar una **audición** que se encuentra en el CD (🎧).

Cuando aparece este icono (A̶z̶) significa que tienes que buscar palabras nuevas y que puedes añadirlas a tu **diccionario personal**.

En los ejercicios encontrarás ejemplos, como éstos, de lo que tú y tus compañeros tenéis que **decir** (●, ○) o **escribir** (✐).

En cada una de estas páginas hay una **Chuleta de gramática** que nos ejemplifica algunas reglas y nos proporciona modelos para poder imitarlos.

Gente joven?

LA REVISTA LOCA

El ACOSO escolar

Casi un 2% de los niños y jóvenes españoles sufre por acoso escolar

Bullying es una palabra inglesa que significa intimidación. Desgraciadamente, en España, como en otros países, está de moda. Son muchos los casos de agresiones en las escuelas y en los colegios, de violencia de unos estudiantes contra otros.

El que ejerce el bullying lo hace para imponer su poder sobre el otro, a través de constantes amenazas, insultos, agresiones, vejaciones, etc. Así consigue tenerlo bajo su dominio a lo largo de meses e incluso de años. Las víctimas sufren, en la mayoría de los casos, en silencio. Sienten dolor y angustia pero muchas veces se callan por miedo.

En España se estima que un 1,6% de los niños y jóvenes estudiantes sufren este fenómeno de manera constante y que un 5,7% lo vive de vez en cuando. El Defensor del Pueblo señala que el 6% de los alumnos reconoce que algún compañero le pega, mientras el Instituto de Evaluación y Asesoramiento Educativo (IDEA) indica que un 49% de los estudiantes dice ser insultado o criticado en el colegio, y que un 13,4% confiesa haber pegado a sus compañeros.

El tema salta a los medios de comunicación en España cuando Jokin Zeberio, de 14 años, se suicidó, tirándose al vacío con su bicicleta, desde lo alto de la muralla de Hondarribia, en el País Vasco, en septiembre de 2004. Jokin padeció el acoso de unos compañeros de clase durante años. Las continuas amenazas, humillaciones, insultos, golpes y palizas lo hicieron sufrir y lo llevaron a la muerte. Este hecho hizo sonar la alarma social, política y educativa, y ha generado múltiples debates.

¿Qué podemos hacer contra el bullying? Los expertos dicen que es responsabilidad de todos. Tanto los profesores como la familia deben estar muy atentos a los síntomas. En clase hay que hablar del tema, discutirlo, y sobre todo no hay que quitarle importancia, no se pueden cerrar los ojos ante este problema. Cuando en el patio del colegio o en la calle un compañero se ríe del aspecto de otro, le insulta, le arremete física o psíquicamente, no podemos quedarnos callados y mirar hacia otra parte. No es una broma. Y puede terminar muy mal.

DUELE

convive y deja vivir

REDES DE EMOCIONES

Un emoticón o *smiley* es el dibujo simple de la cara de una persona, mediante el cual se representa un estado de ánimo. Se utilizan en los chats, en el correo electrónico y en otros medios escritos de carácter informal. ¿Los conoces? ¿Te atreves a descifrarlos?

En azul tienes los emoticones que se utilizan en Latinoamérica y en negro los que se utilizan en España.

:-(((:o(
a. Estoy enfadado/a.
b. Estoy triste.
c. Cállate.

):-(
a. Estoy muy enfadado/a.
b. Estoy de mal humor.
c. ¡Qué susto!

(8-O :oO
a. Estoy muy sorprendido/a.
b. ¡Qué sueño!
c. ¡Qué hambre!

:*) :o*
a. ¡Qué vergüenza!
b. ¡Qué horror!
c. Te mando un beso.

|-O
a. Estoy cansado/a.
b. Me aburro.
c. ¡Qué sueño!

%-(
a. Llevo demasiado tiempo delante del ordenador.
b. Estoy preocupado/a.
c. Estoy nervioso/a.

:-D :oD
a. ¡Qué risa!
b. Estoy contento/a.
c. ¡Qué guay!

:-DDD
X-D
:-)))))
a. Me muero de risa.
b. Estoy feliz.
c. Cuéntame.

En **La Revista loca** hemos incluido sobre todo textos relacionados con los temas de la unidad. De esta forma, a tu ritmo, puedes aprender más sobre la lengua española y sobre los países en los que se habla. Hay también chistes, pasatiempos, informaciones curiosas y canciones.

En cada unidad encontrarás las historias, en forma de cómic, de un grupo de amigos: **La peña del garaje**.

EL DOSSIER DE LA CLASE

EL CONSULTORIO DE LA CLASE

Vamos a crear un consultorio, como el de **ayudame.com**. Vamos a escribir cartas inventando problemas y a responder a las que escriban nuestros compañeros.

TAREA

A Primero, entre todos, hacemos una lista de los problemas típicos de los jóvenes. Aquí tenéis algunos que han escrito unos chicos para inspiraros.

B Cada grupo elige uno de los problemas e inventa un personaje que lo tiene: hay que ponerle un nombre, pensar en su carácter y en sus costumbres, etc.

C Vamos a escribir una petición de consejo de nuestro personaje inventado para nuestro consultorio en Internet.

D Después, el profesor nos dará el mensaje de otro grupo y lo contestaremos con comentarios y con consejos.

- Quiero aprender a tocar la batería pero mis padres me han dicho que hace demasiado ruido y que es muy cara.
- Cuando me miro al espejo, no me gusto.
- Hay un chico en mi clase que siempre me molesta.
- Mis padres no me dejan ir a conciertos.
- Mi hermana me tiene harta porque saca unas notas fabulosas y, claro, luego hay comparaciones.
- Me quiero hacer un piercing pero me da miedo.
- A mi mejor amiga y a mí nos gusta el mismo chico.
- El profe de Química me odia. Siempre me pregunta lo más difícil y me pone unas notas bajísimas.
- En clase me siento totalmente aislada. Nadie habla conmigo y cuando la profe dice "vamos a hacer grupos" me pongo a temblar.

Con esta parte de cada unidad vamos a ir fabricando un **dossier** con nuestros trabajos en español, como sugiere el **Marco de Referencia Europeo de las Lenguas**. Los haremos a veces individualmente y a veces en equipo. También podemos elaborar textos para mandar a chicos y a chicas de otras escuelas de países en los que se habla español. ¡Así tendremos nuevos amigos y practicaremos el español!

Es muy útil grabar o filmar vuestros trabajos. Si lo hacéis, podréis incluirlos en vuestro **portfolio**.

Después de cada tres unidades, tenemos una de **repaso** que nos permitirá evaluar nuestros progresos y saber qué aspectos tenemos que trabajar más.

Hay actividades dedicadas al vocabulario, a la lectura, a la escritura y a la comunicación oral. También hay un test de gramática.

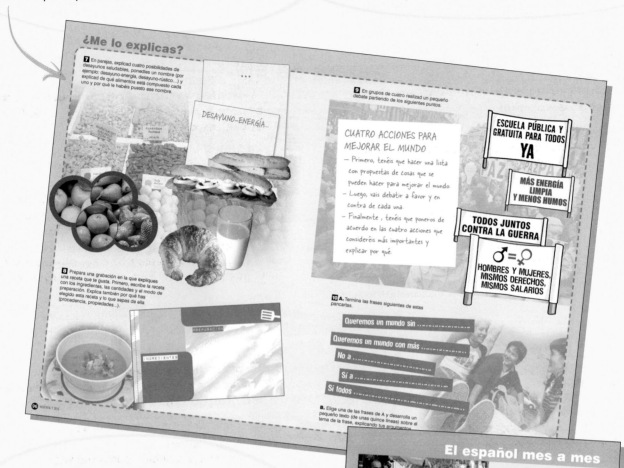

En **La gran chuleta de gramática** podrás consultar tus dudas y también encontrarás ejemplos de todos los recursos que hemos aprendido para comunicarnos en español.

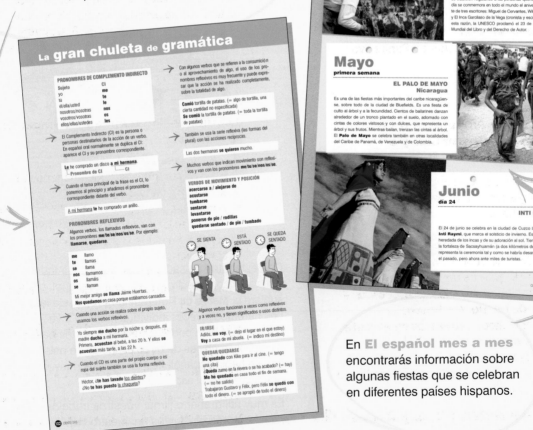

En **El español mes a mes** encontrarás información sobre algunas fiestas que se celebran en diferentes países hispanos.

Índice

¡Buen viaje!

En esta unidad vamos a:

Planificar un viaje a un lugar en el que se habla español.

Para ello vamos a:

- revisar las formas y los usos de los tiempos ya estudiados
- referirnos a lugares, a itinerarios, a distancias y a la duración
- hablar sobre los medios de transporte
- plantear problemas y a proponer soluciones
- dar y a pedir consejos
- expresar deseos
- practicar formas de preguntar
- aprender el Condicional y el Pretérito Pluscuamperfecto

1. POSTALES

A ¿Te gusta enviar y recibir postales? ¿Cuándo enviaste la última postal? ¿A quién?

> • *Yo este verano escribí a mis abuelos y a una amiga cuando estaba en Mallorca.*

B Mira estas tres postales e intercambia tus puntos de vista con un compañero.

– ¿Cuáles de estos lugares os apetecería visitar? ¿Por qué?
– ¿Qué crees que se puede hacer en cada lugar?
– ¿Habéis estado en algún lugar parecido? ¿Cuándo?

> • *A mí me apetecería ir a las Baleares.*
> ○ *Pues a mí a Buenos Aires.*

Vall d'Aran

2. ¡ESTO ES FANTÁSTICO!

A En grupos de tres, leed estos mensajes que han escrito unos chicos mientras estaban de vacaciones. Copiad este cuadro en vuestros cuadernos y completadlo con las informaciones de los mensajes.

TIPO DE MENSAJE	QUIÉN LO ESCRIBE	DÓNDE ESTÁ/N	INFORMACIONES IMPORTANTES
Correo electrónico			

✉ Sin título

Enviar ahora   Enviar más tarde   Vínculo   Eliminar   Firma

De: Mariela Flavian <marielaflav@secund.ar>
Para: Noelia Correa <noecorrea2@inst.co>
CC:
Asunto: Bienvenida a Buenos Aires
Datos adjuntos: ninguno

¡Hola Noelia!
No sabés lo contenta que estoy porque vos y Rosalina aceptaron la invitación que les hice para venir a visitarme. Espero impaciente la llegada de ustedes para mostrarles mi ciudad. Van a ver que Buenos Aires es muy grande y muy lindo y las voy a llevar por todos los rincones que me gustan. Pero, sobre todo, estoy impaciente por volver a encontrarme con ustedes, mis amigas colombianas. ¿A qué hora llega el vuelo de Colombair? Si me lo decís, iremos a buscarlas al aeropuerto de Ezeiza.
Un abrazo,
Mariela

10 de agosto

¡Hola! ¿Cómo estás? ¡Esto es fantástico! El pueblo es muy pequeño y está en las montañas, casi no se ve en la postal. Cada día hacemos excursiones y andamos mucho.

¡Aquí no hace calor! ¡Parece imposible pero dormimos con una manta! ¡Qué gusto!

¡Pero no tenemos cobertura para el móvil!

Nunca me he cansado tanto... ¡Qué guay!

Miguel   Paco   Tere   Silvia

Juan Muñoz
Ronda de Levante, 165, 6º 3ª
30008 Murcia

Llueve siempre. Andrea resfriada. Aburrimiento :-I BS

B Ahora, escucha las llamadas telefónicas para verificar y completar la tabla anterior con las nuevas informaciones que obtengas.

BALEARES

BUENOS AIRES

3. Y TÚ, ¿DÓNDE HAS ESTADO?

Lleva a clase una fotografía de un lugar en el que hayas estado de vacaciones o de fin de semana. Mirad todas las fotos y haceos preguntas sobre cuándo habéis estado en esos lugares, qué habéis hecho, etc.

- ● ¿Cuándo estuviste en las Baleares?
- ○ Estuve en las Baleares el año pasado, en julio.

4. LA POSTAL MISTERIOSA

Vamos a escribir una postal a un compañero.

▶ Busca una foto de un lugar o recorta una de una revista.

▶ Con la fotografía haces una postal.

▶ Escribe el texto y pon el nombre del destinatario (lo haremos a suertes con papelitos) pero no lo firmes.

▶ En parejas, os explicáis qué postal habéis recibido y quién creéis que os la ha enviado.

---

① la chuleta de gramática

HABLAR DE VIAJES REALIZADOS

(Yo) he estado en Mallorca.
(Yo) el año pasado estuve en España. **Fui** a Sevilla y a Madrid.

DESCRIBIR UN LUGAR

Es un lugar muy bonito.
Es una isla preciosa.

Es un pueblo en la montaña.
Es una ciudad en el norte.

Es una región con muchos lagos.
Es una ciudad con mucha vida nocturna.

SITUAR UN LUGAR

Está cerca de Costa Rica.
Está en la costa de Santander.
Está a (unos) cien kilómetros **de** la frontera con Uruguay.
Está al sur / norte / este / oeste de Madrid.

HABLAR DE LO QUE SE PUEDE HACER

Se + 3ª persona de PODER
Se puede pasear, ir en barco, nadar...
Se pueden visitar los edificios, los museos...

2ª persona singular de PODER
Puedes hacer excursiones en barca, **te puedes** bañar...

EL CONDICIONAL

INFINITIVO + ía/ías/ía/íamos/íais/ían	
iría	preferiría
irías	preferirías
iría	preferiría
iríamos	preferiríamos
iríais	preferiríais
irían	preferirían

Para expresar deseos
● ¿Me **gustaría** visitar Nueva York.
○ ¿Yo **preferiría** ir a San Francisco.
■ ¿Pues yo **iría** de viaje a América del Sur.

Para evocar situaciones imaginarias
Yo nunca **iría** de vacaciones a la Antártida.

5. ESPAÑA TAMBIÉN ES VERDE

A Lee las informaciones del folleto turístico y señala a qué zona del mapa corresponde cada itinerario.

ESPAÑA VERDE, COSTA VERDE

LA ESPAÑA VERDE tiene lluvia, mar, montañas y cuevas; parques naturales y costas escarpadas. Paisajes de naturaleza salvaje y entornos llenos de historia convierten a este lugar en uno de los sitios más bellos del mundo. **La ESPAÑA VERDE es secreta y variada. Te ofrecemos tres itinerarios para conocerla.**

ASTURIAS, VERDE Y AZUL

Hay una Asturias verde y otra azul. Una Asturias de agua y de roca, y otra de hierba y arena. Y, en todas, la naturaleza es la reina.

EL CANTÁBRICO, GRAN RESERVA

Naturaleza exuberante, paisajes de montaña, paisajes de playa y una amplia oferta cultural durante todo el año.

PAÍS VASCO, CONÓCELO

Euskadi, si lo conoces, te gustará su paisaje, su gastronomía, su cultura y su costa.

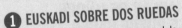

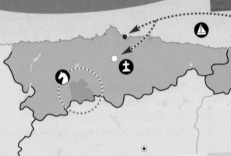

❶ EUSKADI SOBRE DOS RUEDAS

El País Vasco cuenta con una extensa red de carreteras preparadas para conocer la región en bicicleta. La ruta tiene 13 días y 12 noches de duración y es circular: empieza y termina en Donostia-San Sebastián. Y pasa por Hernani, Vitoria-Gasteiz, Bilbao, Santurce y Guernica. La casa-museo del escultor Chillida, el **Chillida Leku** (Hernani), y el museo **Guggenheim** (Bilbao) son dos de los puntos de mayor interés artístico del recorrido.

€ Precio
450€ por persona.

➡ Incluye
Seguro de accidentes, alojamiento en casas rurales a lo largo de todo el itinerario, desayuno y cena. No incluye las comidas ni las entradas a los museos.

❷ TODO EL CANTÁBRICO A TODA VELA

Un viaje de dos semanas en un barco de vela, desde Bilbao a Gijón, con escala en Santander. Desde estas ciudades se pueden realizar visitas muy interesantes. A unos 30 kilómetros de Santander se puede visitar la villa medieval de **Santillana del Mar**, que es uno de los conjuntos arquitectónicos más bellos de España. Desde Gijón, se puede hacer una visita a **Oviedo** y a sus iglesias prerrománicas de **Santa María del Naranco** y **San Miguel de Lillo**.

€ Precio
750€ por persona.

➡ Incluye
Curso de vela (iniciación), seguro de accidentes, patrón-guía del barco; desayuno, comida, cena y alojamiento a bordo, y alquiler de equipo náutico. No incluye las posibles excursiones a las calas.

❸ PAISAJES DE ASTURIAS

Ruta de cinco días (cuatro noches) a caballo por el **Parque Natural de Somiedo**, declarado Reserva de la Biosfera en 2000. Durante el recorrido se encontrarán con espectaculares lagos, montañas, valles, desfiladeros, cabañas de los antiguos vaqueros y paisajes que se pueden disfrutar a caballo.

€ Precio
350€ por persona.

➡ Incluye
Un taller de mantenimiento de caballos con todo su equipamiento; dos sesiones de mañana y tarde, de dos horas cada una, de monta en picadero; seguro de accidentes, alojamiento, desayuno, comida y cena en hoteles rurales muy confortables.

B Decide cuál de las rutas te gustaría hacer. Luego, con un compañero explicaros cuál habéis elegido y por qué. Después, informad a la clase.

- *Yo haría la excursión en bicicleta porque me gusta mucho el ciclismo...*

C Entre los dos, describid un itinerario de varios días por algún lugar de vuestra región que os guste a los dos. Tomad como modelo los textos de la España verde.

6. EQUIPAJES

A Estos dos hermanos, Tina y Jens, están preparando su equipaje para irse de vacaciones a dos lugares diferentes. Trata de deducir cuáles son sus planes: ¿adónde van?, ¿qué van a hacer? Escribe tres afirmaciones sobre cada uno y compáralas con las de un compañero.

Yo creo que Tina va al Caribe porque...

B Aquí tienes una lista de objetos que te puedes llevar en vacaciones. Con tu compañero elige cuatro que consideréis imprescindibles para los viajes descritos en la pizarra.

un Mp3
una cámara
libros
ordenador
teléfono móvil
una libreta

medicamentos
una brújula
un bolígrafo
vitaminas
un botiquín
pilas

una gorra
unas gafas de sol
crema solar
un mapa
un anorak
un secador de pelo

Una travesía por los Pirineos para hacer esquí de fondo	Una semana en la isla de Formentera (Islas Baleares)	Una semana de senderismo por Guatemala
1.	1.	1.
2.	2.	2.
3.	3.	3.
4.	4.	4.

Para hacer esquí de fondo yo me llevaría una crema solar.

C ¿Y tú? ¿Qué te llevas? Habla con tu compañero y explícale qué cosas te llevas siempre de viaje y qué cosas no te llevas nunca.

• *Yo siempre me llevo gafas de sol. Secador de pelo no me llevo nunca.*

la chuleta de gramática

MEDIOS DE TRANSPORTE

en avión / tren / coche / autobús / bicicleta / barco /...

a pie / caballo /...

LOCALIZAR

EN
¿Cuántos días te vas a quedar **en** Santander?
Hemos reservado una habitación **en** un hotel **en** La Habana.

POR
Este verano haremos una ruta a pie **por** el País Vasco.

¿Pasaréis **por** Bilbao?

DE
¿Cuándo vuelves **de** México?

A
Vamos **a** Madrid en tren.

HACIA
Vamos **hacia** Madrid pero dormiremos antes de llegar, en León.

DISTANCIA

¿**Cuántos kilómetros hay desde** Málaga **hasta** La Coruña?
¿**Cuántos kilómetros hay entre** Ávila **y** Vigo?
Está a (unos) 35 km **de** aquí / Madrid /...

IR/IRSE

Vamos a Guatemala.
Nos vamos el día 15 a las tres de la tarde.

DURACIÓN

He estado **dos días** en Madrid.
He estado viajando sin parar **durante dos días**.
Desde el lunes **hasta** el jueves estaré en León.

LLEVAR/LLEVARSE

Siempre **llevo** gafas: soy muy miope.
Me llevo un libro para leer por las noches.

7. EUROPA EN TREN

🎧 Escucha la entrevista y responde a las preguntas.

¿Qué tipo de viaje han hecho los cinco chicos?
¿Cuántos países han visitado y en cuántos días?
¿Cuánto les ha costado el billete de tren?
¿Cómo ganaron el dinero para el viaje?
¿Cuál era su presupuesto diario?
¿Cómo ahorraban dinero en alojamiento?
¿Por qué su reportaje se llama "Una mochila llena de Europa"?
¿Recuerdas algún consejo?

8. UNA MANERA JOVEN DE VIAJAR

Copia en tu libreta el cuadro, habla con tu compañero y, entre los dos, clasificad los consejos para viajar en tren.

INTER RAIL

Inter Rail es un billete de tren especial con el que se puede viajar durante un mes, en clase turista, por 8 zonas (29 países europeos y Marruecos). Todos los ciudadanos europeos y también los que residen en Europa desde hace más de dos meses pueden comprar este billete.

Si quieres viajar sin gastar mucho dinero, ¡no lo dudes! Ésta es la mejor solución.

Viajar en tren, mochila al hombro, tiene sus ventajas pero hay que saber hacerlo. Estos consejos te ayudarán a preparar tu viaje y a hacerlo más interesante.

1 Lo mejor es llevar una mochila ligera. Hay que llevar lo imprescindible: un par de zapatos, chanclas, ropa de aseo, camisetas, pantalones cómodos... Para la lluvia, un canguro de plástico mejor que un voluminoso anorak. Y para el frío, un buen jersey.

2 Es muy importante llevar un pequeño botiquín y un seguro de asistencia sanitaria.

3 Resulta muy útil aprovechar los viajes nocturnos: son más baratos y te ahorras el alojamiento.

4 Es importante que de vez en cuando te alojes en un albergue para descansar mejor.

5 Ten en cuenta que comer siempre comida rápida o enlatada es malo para tu salud. Prepárate comida caliente o una buena ensalada en los albergues en los que haya cocina.

Equipaje	La mochila debe ser ligera...
Alojamiento	
Comida	
Ahorro	

9. UNA CHICA AVENTURERA

A La Ruta Quetzal es un programa para que jóvenes americanos y españoles conozcan sus culturas e intercambien conocimientos. Lee un fragmento del diario de una chica que participa en esta experiencia. ¿Con cuál de las fotografías identificas a Rosa?

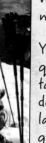

24 de junio de 2005

Hoy hemos hecho una excursión por el río Pacaya y ha sido fantástico. Por la mañana ha venido a buscarnos un barco especial: tenía las paredes de madera, los techos de paja y era la vivienda de la familia de indígenas peruanos que nos hacían de guías.

Yo tenía mucho miedo de las picaduras de los mosquitos y me he vestido con pantalón largo, camiseta de manga larga, calcetines, botas... Me asaba de calor pero me sentía protegida. Nuestros guías, la familia peruana, en cambio, estaban tan tranquilos. Iban en manga corta y pantalón corto. Esto me ha relajado y al cabo de una hora ya no me acordaba de los mosquitos ni de mis miedos.

El paisaje era magnífico, impresionante. El día era especial, además, porque Lucila ha cumplido 17 años. Le hemos hecho muchos regalos de pequeñas cosas que hemos improvisado allí mismo: caramelos, lápices, bolígrafos, frutas... Lucila estaba muy contenta. Tenía razón. No todos los días se cumplen 17 años, ¡y menos en una barca en mitad de la selva amazónica!

Me encuentro muy bien. Me dejo llevar por la alegría y las emociones de cada momento y por los principios de esta expedición que he hecho ya míos: la aventura, el aprendizaje y la amistad.

Me da pena, de verdad, irme de aquí. Nunca había estado en un sitio tan bonito. ¡Este es el sitio más bonito del mundo!

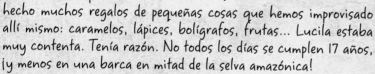

B Ahora haz una lista de las cosas que te gustaría ver y experimentar en un viaje como el de la Ruta Quetzal y una lista de las que no. Luego, compárala con la de tu compañero.

➕ Me gustaría
- ver muchos animales salvajes
- conocer otros paisajes
- ...

➖ No me gustaría / Me daría(n) miedo
- las picaduras de arañas
- estar enferma
- ...

IMPERFECTO/PERFECTO

☀️ *Recuerda:*

IMPERFECTO

Hoy nuestros guías **estaban** tan tranquilos, **iban** en manga corta. Esto me **ha relajado**.

PERFECTO

DAR CONSEJOS Y ADVERTENCIAS

Es imprescindible	
Lo mejor es	
Es muy importante	llevar un canguro.
Resulta muy útil	
No hace falta	
Ten en cuenta que	puede llover.

EXPRESAR OBLIGACIÓN

IMPERSONAL: **HAY QUE** + INFINITIVO
Hay que ponerse mucha crema solar.

PERSONAL: **HABER** + **DE** + INFINITIVO
He de ir a casa de mis abuelos.
Has de ponerte crema. Estás rojo.

PRETÉRITO PLUSCUAMPERFECTO

IMPERFECTO DE HABER + PARTICIPIO

había	
habías	
había	estudi**ado** / com**ido** / viv**ido**
habíamos	
habíais	
habían	

Nunca **había visitado** un sitio tan bonito.
Este año he ido a España. Ya **había estado** antes varias veces.

RUTA QUETZAL

El programa Ruta Quetzal es un programa en el que se mezclan cultura y aventura. Gracias a esta iniciativa, 8000 jóvenes europeos y americanos han tenido la oportunidad de descubrir los aspectos humanos, geográficos e históricos de otras culturas. Ruta Quetzal es sobre todo una experiencia formativa para desarrollar en los jóvenes el espíritu de cooperación internacional.

LA REVISTA LOCA

EL TREN DE LAS NUBES

El Tren de las nubes es uno de los tres ferrocarriles más altos del mundo. Atraviesa las altas montañas de la cordillera de los Andes entre paisajes espectaculares. Sale de la ciudad de Salta, en Argentina, atraviesa el valle de Lerma, para introducirse en la Quebrada del Toro y llegar hasta la Puna. El punto final del recorrido es el kilómetro 1350 donde se encuentra el viaducto La Polvorilla, de 224 m de longitud por 63 m de altura, donde el tren parece adentrarse en el cielo. Es el viaducto más elevado de todo el trazado (4200 m) y uno de los más importantes del mundo por sus características.

Antonio Machado (1875-1939)

Fue un poeta y escritor español muy importante. Murió en Colliure (sur de Francia) pocos días después de haber cruzado la frontera para exiliarse cuando el gobierno de la República española perdió la Guerra Civil.

Entre sus poemas más famosos está el siguiente, incluido en su libro *Cantares*.

 Caminante, son tus huellas
el camino y nada más;
caminante, no hay camino,
se hace camino al andar.

Al andar se hace camino
y al volver la vista atrás
se ve la senda que nunca
se ha de volver a pisar.
Caminante, no hay camino
sino estelas en la mar.

Antonio Machado, Poema XXIX en *Poesía*, Madrid, Alianza Editorial 2001 (página 114).

▸ ¿De qué camino habla el poeta?
▸ ¿Qué frase te gusta más?
▸ Apréndete el poema de memoria y recítalo.

El Camino de Santiago

El Camino de Santiago es una antiquísima ruta de peregrinación que lleva hasta la ciudad de Santiago de Compostela, en Galicia, donde la leyenda dice que está enterrado el apóstol Santiago. El camino más famoso y mejor conservado está en el norte de España, tiene 800 km y sale de Roncesvalles, en Navarra. Puede recorrerse a caballo, a pie o en bicicleta. A pie se tarda un mes y en bicicleta, 15 días. La ruta está perfectamente señalizada y aproximadamente cada 15 km se puede encontrar alojamiento gratuito en refugios construidos expresamente para los peregrinos.

La **Credencial de peregrino** es un documento que acredita que la persona que lo lleva está haciendo el camino. Lleva escrito el nombre del peregrino y tiene unas casillas en blanco donde se van poniendo sellos en cada uno de los albergues o iglesias de las distintas etapas. Cuando se llega a Santiago, mostrando la Credencial con sus sellos, el peregrino puede obtener la Compostela.

La **Compostela** es un certificado, en latín, que acredita que la persona ha peregrinado a Santiago, y que ha realizado, como mínimo, 100 Kms caminando o a caballo o 200 Km en bicicleta.

¿Eres un buen **turista**?

¿Sabes en qué países han estado las personas que han comprado estos *souvenirs*?

1

2

3

4

5

a	En una ciudad de más de 15 millones de habitantes.
b	Es la capital de un país con muchos glaciares.
c	En un país al sur de Europa.
d	En la isla más grande del Caribe.
e	En un país que tiene muchos templos mayas.

Soluciones:

1-b: Buenos Aires
4-c: España
3-e: Guatemala
5-a: México DF
2-d: Cuba

CHILLIDA

EDUARDO CHILLIDA (San Sebastián, 1928-2002) está considerado uno de los escultores más importantes de los últimos tiempos. Es conocido por sus monumentales esculturas de hierro o de granito, de formas abstractas, y también por haber integrado su arte en el paisaje. Las esculturas de Chillida están repartidas por todo el mundo. En España es muy conocida la que lleva el nombre de *El peine de los vientos*, en San Sebastián (Donostia), una escultura que está situada sobre unas rocas sobre el mar y debajo de la cual pasa el aire y golpean las olas. Otro proyecto famoso, que todavía está en fase de estudio, es la montaña de Tindaya, en la isla de Fuerteventura (Canarias), que el escultor quería vaciar para convertir en escultura. Actualmente, una extensa muestra de sus obras puede contemplarse en su casa museo llamado Chillida-Leku, que se encuentra en Hernani, cerca de San Sebastián, donde se puede apreciar cómo se integran sus esculturas en la naturaleza.

LA VUELTA AL COLE CAP.1

¿OS ACORDÁIS DE LA PEÑA DEL GARAJE? SON UN GRUPO DE CHICOS Y CHICAS QUE YA CONOCÉIS UN POCO. VIVEN EN UN BARRIO DE LAS AFUERAS DE MADRID Y COMPARTEN MUCHAS COSAS: EL BARRIO Y LA ESCUELA, LA MÚSICA Y SU GRUPO DE HIP-HOP... EN LAS PRÓXIMAS PÁGINAS LES VAMOS A CONOCER MEJOR Y VAMOS A VIVIR CON ELLOS UNA AVENTURA MUY EMOCIONANTE... ESTAMOS A 10 DE SEPTIEMBRE, O SEA, QUE CASI SE HA TERMINADO EL VERANO. EN MADRID TODAVÍA HACE CALOR, PERO CASI TODO EL MUNDO HA VUELTO A LA CIUDAD DESPUÉS DE LAS VACACIONES.

EL CANTANTE DEL GRUPO SE LLAMA ENRIQUE, PERO TODO EL MUNDO LE LLAMA KIKE. TIENE DOS HERMANOS MÁS PEQUEÑOS, AINOA Y LUCAS, CON LOS QUE NO SIEMPRE ESTÁ DE ACUERDO.

RAFA, QUE ES UN POCO PIJO, HA ESTADO EN INGLATERRA HACIENDO UN CURSO DE INGLÉS. AHORA ESTÁ TODO EL TIEMPO CANTANDO EN INGLÉS PARA DEMOSTRAR QUE HA APRENDIDO MUCHO.

HUGO, QUE ES MUY DEPORTISTA, HA ESTADO EN LA MONTAÑA. DICE QUE HA SUBIDO AL ANETO, EN LOS PIRINEOS, ¡A MÁS DE 3400 METROS!!!!

MIGUEL Y SANDRA SE HAN QUEDADO EN MADRID. EL PADRE DE MIGUEL ES TAXISTA Y DICE QUE ÉL NO QUIERE SALIR DE MADRID EN AGOSTO, QUE ES CUANDO SE PUEDE CONDUCIR BIEN Y NO HAY COCHES. PERO COMO HAN VENIDO UNOS DÍAS SUS PRIMOS DE GALICIA Y TAMBIÉN ESTABA SANDRA (SUS PADRES TIENEN UN RESTAURANTE Y SE TOMAN LAS VACACIONES EN INVIERNO), LO HAN PASADO BASTANTE BIEN. CASI TODO EL DÍA EN LA PISCINA, POR LA NOCHE EN LA PLAZA HASTA LAS 12 H, ALGUNA EXCURSIÓN EN BICI...

ELISA HA ESTADO EN IBIZA CON SUS PADRES. HA HECHO UN CURSO DE WINDSURF Y HA CONOCIDO A MUCHOS CHICOS Y CHICAS DE SU EDAD: ALEMANES, ITALIANOS, HOLANDESES... Y HA CONOCIDO A ALEXANDER, UN CHICO ALEMÁN MUY GUAPO.

TAMBIÉN VIVEN EN EL BARRIO ÁLVARO Y ARTEMIS, PERO NO SON DEL GRUPO MUSICAL. A KIKE LE GUSTA ARTEMIS PERO NO LO SABE NADIE. Y ÁLVARO SIEMPRE ESTÁ DETRÁS DE ELLA...

... Y, CLARO, A KIKE NO LE GUSTA NADA ÁLVARO. SIEMPRE QUIERE SER EL PROTAGONISTA, EL MÁS INTELIGENTE, EL MÁS GUAPO...

JAZMÍN HA IDO A MARRUECOS, A CASA DE SU ABUELA. HA SIDO UN VIAJE LARGO PERO MUY BONITO. ALLÍ TIENE UN MONTÓN DE PRIMOS Y TÍOS. LE ENCANTA IR A MARRUECOS Y HABLAR SU LENGUA MATERNA.

¿QUIÉNES SON ESOS? NO SON DEL BARRIO, ¿NO? ¡VAN A CASA DE ÁLVARO! ¡QUÉ MOTOS!

NO SÉ... ¿QUÉ HACEN AQUÍ EN EL BARRIO? NO ME GUSTAN...

(CONTINUARÁ)

EL CAMINO DEL INCA

Lee las informaciones sobre el Camino del Inca.
¿Te gustaría hacerlo? ¿Por qué?

El Camino del Inca es un recorrido de aproximadamente 40 kilómetros que llega hasta las ruinas de Machu Picchu. Se trata de una pequeña parte de las antiguas vías de comunicación incas que cruzaban todo el Imperio y que servían para unir los distintos puntos de éste con la capital. El Camino del Inca es actualmente el *trekking* más famoso del mundo. Se realiza en cuatro días y los viajeros están acompañados en todo momento por un guía diplomado.

La travesía no es larga pero es difícil por la altura: se sube un desnivel de unos 2000 metros y se cruzan climas y ecosistemas muy variados. El camino termina con la llegada a Machu Picchu a través de la Puerta del Inca (Inti Puncu).

ITINERARIO

(D) Desayuno (A) Almuerzo (C) Cena

Día 1: Cuzco - Chilca - Wayllabamba (A) (C)

Nuestro guía les recogerá de su hotel en Cuzco, muy temprano por la mañana, para trasladarles en bus al pueblo de Urubamba, a una hora de Cuzco. Desde allí se dirigirán a Chilca, para iniciar su caminata por el Camino Inca hacia Machu Picchu. Después de aproximadamente tres horas de caminata, harán una parada para almorzar. Luego continuarán en dirección a su primer campamento en Wayllabamba. En el camino visitarán el complejo arqueológico de Llactapata. Comida y pernocte en el campamento.

Día 2: Wayllabamba - Warmiwañusca - Pacaymayo (D) (A) (C)

Después del desayuno, realizarán la parte más dura del camino, con una subida escarpada, seguida de 3 horas de caminata hasta alcanzar el primer paso, llamado Warmiwañusca (Mujer Muerta), a 4200 m aproximadamente. Aquí no sólo disfrutarán de increíbles vistas panorámicas de toda el área, sino que también tendrán la satisfacción de haber alcanzado la cima. Después del almuerzo, descenderán andando hacia Pacaymayo para acampar y cenar.

Día 3: Pacaymayo - Puya Patamarka - Wiñay Huayna (D) (A) (C)

Después del desayuno, empezarán el descenso hasta el segundo paso más importante del recorrido, a 3800 m, donde disfrutarán de una visita guiada al complejo arqueológico Runku Rakay y a la ciudadela Inca de Sayacmarca. Luego continuarán su caminata hacia Puya Patamarka (Pueblo en las nubes), otro importante monumento arqueológico, donde harán una parada para almorzar. Después de un breve descanso, iniciarán nuevamente la caminata hasta llegar a Wiñay Huayna (Siempre Joven), y realizarán una visita guiada a este espectacular complejo arqueológico. Cena y noche en el campamento. En todo el día caminarán unas cuatro horas.

Día 4: Wiñay Huayna - Machu Picchu - Cuzco (D)

Después del desayuno, caminata de una hora por el bosque hasta el Inti Punku (Puerta del Sol), conocido como la puerta de entrada a Machu Picchu, desde donde tendrán una impresionante vista panorámica de la ciudadela. A la llegada a Machu Picchu, realizarán un tour guiado de la ciudadela, visitando los principales monumentos, como la Plaza Principal, la Torre Circular, el Sagrado Reloj Solar, los cuartos reales, el templo de las Tres Ventanas y los cementerios. Luego, tendrán tiempo libre para pasear por la ciudadela hasta la hora de encontrarse con el resto del grupo y ser trasladados en bus a Aguas Calientes para almorzar (no incluido). Por la tarde, regresarán a Cuzco en tren y un bus les llevará de la estación hasta el hotel.

El DOSSIER de la CLASE

NUESTRO VIAJE

Vamos a planificar todos los detalles de un viaje que nos gustaría hacer.

TAREA

1 Elegid cuál de los viajes y de las rutas descritas en la unidad os gustaría hacer.

2 Agrupaos según vuestra elección; haced grupos de tres o de cuatro personas como máximo.

3 Planificad el viaje. Debe tener las siguientes características:

- tendrá 15 días de duración desde que se sale hasta que se vuelve;

- incluirá varios aspectos: naturaleza, cultura, deporte y ocio.

NECESITAMOS

- Informaciones complementarias
- Imágenes y mapas
- Material para hacer un póster (cartulina, cola, rotuladores...)

4 Escribid un plan de viaje: fechas, medio de transporte (desde vuestro país hasta el destino), etapas; qué llevaréis en las mochilas, qué comeréis, dónde dormiréis, qué visitaréis y cuánto os costará (presupuesto).

5 Enumerad qué actividades pensáis hacer para conseguir el dinero para el viaje.

② Tengo un problema...

En esta unidad vamos a:
Inventar un problema personal para mandarlo a un consultorio.

Para ello vamos a aprender:

■ a identificar personas

■ a describir y a valorar caracteres

■ a expresar sentimientos y a hablar de problemas

■ a referirnos a las relaciones entre las personas

■ a dar y a pedir consejos

■ a hablar de la duración: **hace... que**, **¿desde cuándo...?**

■ los posesivos tónicos: **un** amigo **mío**, **una** prima **mía**

■ algunos verbos pronominales: **caerle bien / mal, llevarse bien / mal, enfadarse**...

■ algunos usos del Presente de Subjuntivo

1. CARACTERES DIFERENTES

A Ainoa, Carlos y Marta han ido a una fiesta de cumpleaños. Durante la merienda se han manchado de chocolate. Mira las imágenes, escucha la audición y lee los textos. ¿Quién reacciona mejor de los tres? ¿Y tú? ¿Cómo reaccionas en una situación como ésta?

> ● Yo me pongo nervioso como Marta.

● Ainoa tiene muy buen carácter, ¿no te parece?
○ Sí... Nunca se pone nerviosa. Cuando le pasa algo desagradable, siempre se lo toma con muy buen humor.
● ¡Qué suerte ser así!
○ ¡Claro!

● Lo que pasa es que Carlos es muy buen chico pero un poco inseguro... y supertímido.
○ Sí, no es fácil conocerlo bien...
● Bueno, es que no se abre fácilmente: casi nunca expresa sus sentimientos. Pero yo sí lo conozco bastante bien. Somos amigos desde pequeños y sé que es una persona muy sensible..., casi demasiado sensible.

● Marta tiene un mal genio...
○ Sí, se enfada por cualquier cosa. ¡Y cuándo se enfada...!
● ¡Da miedo! Pero luego se le pasa enseguida y ya está.
○ Sí, en el fondo, es una persona muy noble, se preocupa mucho por los demás y es muy solidaria.
● Lo único es eso, que tiene mal carácter.

B Copia en tu cuaderno las expresiones de las conversaciones que sirven para hablar del carácter.

> Fíjate en que algunas expresiones son verbos que van siempre con pronombres.

C En grupos de tres, buscad a compañeros de clase o a profesores de la escuela que cumplan las siguientes descripciones. También podéis hablar de personajes de ficción o de famosos que conozcáis todos.

.... se toma siempre las cosas con calma.

.... a veces se pone nervioso/a.

.... a menudo se enfada con ....

.... tiene muy buen carácter.

.... es una persona muy comprensiva.

.... se preocupa mucho por los demás.

.... tiene mucho sentido del humor.

.... nunca se pone nervioso/a.

D Ahora, escribe en tu cuaderno un pequeño texto hablando de ti mismo, de tu carácter y de tus reacciones. Intenta usar las siguientes expresiones.

tener buen / mal carácter

ser una persona un poco / bastante / muy /...

pasárseme

enfadarme

expresar mis sentimientos

preocuparme por...

2. EL ÁLBUM DE FOTOS DE ADRIANA

🎧 **A** Susana es nueva en la escuela. Va por primera vez a casa de Adriana y ésta le enseña su álbum de fotos. Escucha la audición. ¿Qué relación tiene Adriana con cada una de las personas de las fotos?

Yo   Ana   Pablo

Manu   Laura

Emilio y Berta   José Luis y Alicia

🎧 **B** Haz dos listas con las personas del álbum de Adriana: personas con las que se lleva bien y personas con las que se lleva mal.

C Ahora, haz tu propia lista con cinco nombres de personas importantes en tu vida. Escribe algo sobre ellos: qué relación tenéis, cómo es, por qué te caen bien o mal, etc. ¡Puedes llevar fotos a clase!

D Escribe ahora los nombres de esas cinco personas en una lista y dásela a un compañero, que te preguntará quién es cada uno.

● ¿Quién es Rubén?
○ Es un vecino mío, un chico muy majo.

Rubén
Olivia
Katia
Carlos
Victoria

VERBOS CON PRONOMBRES

ME/TE/SE/NOS/OS/SE

ENFADARSE (alguien con alguien)
Me he enfadado con Pilar.
Yo y mi madre nunca **nos enfadamos**.
Mis padres **se enfadan** si llego tarde.

 Pilar ~~me ha enfadado~~.
Pilar **me ha hecho enfadar**.

PREOCUPARSE (alguien por algo/alguien)
Mis padres siempre **se preocupan por** mí.
Y sobre todo **se preocupan** si llego tarde.

LLEVARSE BIEN (alguien con alguien)
Me llevo muy bien con mi padre.
Mi hermana y yo **no nos llevamos bien**.

ME/TE/LE/NOS/OS/LES

CAERLE BIEN / MAL (alguien a alguien)
El nuevo profesor **nos ha caído** muy bien.

● ¿Qué tal **te cae** Linda?
○ Fatal, ¿por qué?

SE ME/SE TE/SE LE/...

PASÁRSELE (algo a alguien)
¿Todavía está enfadado o ya **se le ha pasado**?
Yo, cuando me enfado, **se me pasa** enseguida.

POSESIVOS

un amigo **mío**
una amiga **mía**

unos primos **míos**
unas primas **mías**

un tío **nuestro**
una tía **nuestra**

unos vecinos **nuestros**
unas vecinas **nuestras**

● ¿Quién es?
○ **Un** amigo **mío** del barrio.

● ¿Con quién está hablando Olga?
○ Con **un** primo **suyo**.
　Con **su** primo Iñaki.

3. QUÉ HORROR

A Lee individualmente este fragmento de una novela de aventuras. ¿Cómo es cada uno de los personajes?

nervioso   tranquilo

fresco   bromista

miedoso

responsable

Ya eran las 19 h y empezaba a anochecer después de una fantástica excursión por la montaña. Pero estaba muy claro: ¡estaban completamente perdidos en el bosque! **❶** ¡Qué miedo!

—Chicos, la verdad, no sé dónde estamos. No tengo ni idea —dijo Félix.

—Oye, pues llamamos por teléfono y nos vienen a buscar. —dijo Gastón—. ¡Se hace de noche! Y hay miles de bichos en el bosque... **❷**

—Sí, claro, miles de bichos, y osos y lobos y monstruos... Ja, ja, ja... Pero si pasar la noche en el bosque puede ser divertido, ¿no? ¡Una aventura! —comentó Susana.

—Tranquilos, que no pasa nada... —dijo Félix intentando tranquilizar a Gastón mientras buscaba el móvil en la mochila—. Llamamos a casa y ya está. Pero... ¡Dios mío! ¡No tenemos cobertura! **❸**

—¿Qué vamos a hacer? —sollozó Gastón.

—Pues, nada, seguir andando —dijo Félix.

De pronto, Susana, dijo:

—Mirad, ahí hay una luz... Parece una casa... **❹**

—¿Quién puede vivir en un lugar tan... tan... tan siniestro? Yo no me fío... —respondió Gastón con voz temblorosa.

—¿Una bruja? —volvió a ironizar Susana.

—Pues a lo mejor —dijo Gastón—. O un loco... **❺**

Se acercaron a la casa despacio, sin hacer ruido. De pronto, oyeron detrás de ellos un extraño gruñido. Era un animal pero ya estaba oscuro y los chicos no podían verle. **❻** Susana sacó de su mochila la linterna y enfocó hacia el animal.

—Ja, ja, ja... Si es un gatito... —se rió Susana. **❼**

Efectivamente, era un pequeño gato que ahora ronroneaba pegado a su pantalón. Siguieron caminando, con el gato detrás. Todavía estaban a unos 500 metros y no podían más. **❽** Para complicar más las cosas, un rayo iluminó el cielo y empezó a llover y a soplar el viento. **❾** Los truenos le daban al bosque un aspecto terrorífico. Casi no se veía el camino. **❿** Y Gastón no paraba de quejarse. **⓫**

—Pero, Gastón, si no es más que una tormenta —intentaba tranquilizarle Susana a quien no parecía preocuparle nada su situación. **⓬** Los otros dos empezaron a llamarle y a buscarle. Con las linternas se dirigieron al sitio donde le habían visto por última vez.

—No nos pongamos nerviosos —dijo Félix.

—¡Gastón!, ¡Gastoncito! ¿Dónde estás? —bromeó Susana. Entonces vieron un agujero al lado del camino. Se acercaron y oyeron los lamentos de Gastón.

—Uy, uy, uy... **⓭**

Junto al camino, pero a un nivel más bajo, había un establo... ¡de cerdos! Gastón había pisado el techo y se había caído... ¡entre los cerdos! **⓮** Éstos le miraban con curiosidad y le olfateaban, como preguntando qué hacía ese chico en su casa. La ropa de Gastón tenía un sospechoso color oscuro. **⓯** Al oír los gritos, se abrió la puerta de la casa. Salió una señora con aspecto de abuela encantadora. **⓰**

—Pero, chicos, ¿qué hacéis en el bosque a estas horas y con esta tormenta? —preguntó la abuela extrañada—. ¡Pasad, que he hecho un pastel de manzana y tengo leche caliente! **⓱** ¡Y tengo teléfono, o sea que ahora mismo vamos a llamar a vuestros padres! **⓲**

B Seis compañeros leerán ahora en voz alta el texto, intentando interpretar los diferentes sentimientos de los personajes. Para cada bocadillo los demás debéis elegir una de las exclamaciones que tenéis en la Chuleta de Gramática y decirla en voz alta. ¡Ojo con la entonación!

actor/actriz 1: el narrador   **actor 2:** Félix

actor 3: Gastón   **actriz 4:** Susana

actor/actriz 5: el gato   **actriz 6:** la abuela del bosque

4. SENTIMIENTOS

A ¿Qué cosas o qué situaciones te provocan estos sentimientos? Forma al menos cinco frases que expliquen tus sentimientos. Luego, compáralas con las de un compañero. ¿Coincidís?

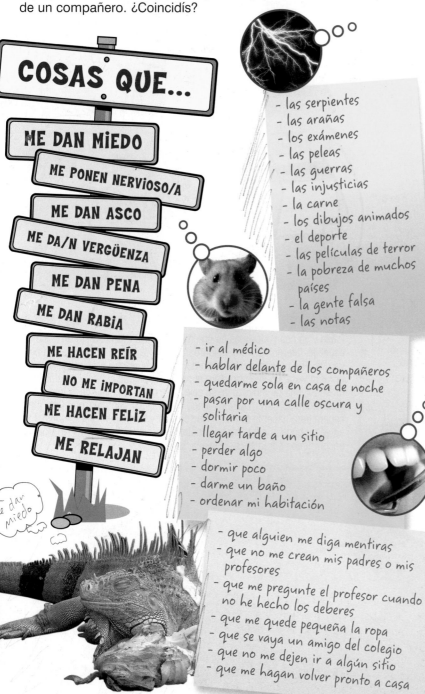

COSAS QUE...

- ME DAN MIEDO
- ME PONEN NERVIOSO/A
- ME DAN ASCO
- ME DA/N VERGÜENZA
- ME DAN PENA
- ME DAN RABIA
- ME HACEN REÍR
- NO ME IMPORTAN
- ME HACEN FELIZ
- ME RELAJAN

- las serpientes
- las arañas
- los exámenes
- las peleas
- las guerras
- las injusticias
- la carne
- los dibujos animados
- el deporte
- las películas de terror
- la pobreza de muchos países
- la gente falsa
- las notas

- ir al médico
- hablar delante de los compañeros
- quedarme sola en casa de noche
- pasar por una calle oscura y solitaria
- llegar tarde a un sitio
- perder algo
- dormir poco
- darme un baño
- ordenar mi habitación

- que alguien me diga mentiras
- que no me crean mis padres o mis profesores
- que me pregunte el profesor cuando no he hecho los deberes
- que me quede pequeña la ropa
- que se vaya un amigo del colegio
- que no me dejen ir a algún sitio
- que me hagan volver pronto a casa

B Compara las siguientes frases. Fíjate en que **se enfaden** y **vayas** están en Presente de Subjuntivo. ¿Puedes deducir cuándo utilizamos el Subjuntivo en estas estructuras? Trabaja con un compañero.

Me da pena irme.

Me da pena que te vayas.

Me da miedo ir al médico.

Me da miedo que mis padres se enfaden.

② la chuleta de gramática

PRESENTE DE SUBJUNTIVO

VERBOS REGULARES

ESTUDIAR	COMER	ESCRIBIR
estudie	coma	escriba
estudies	comas	escribas
estudie	coma	escriba
estudiemos	comamos	escribamos
estudiéis	comáis	escribáis
estudien	coman	escriban

ALGUNOS VERBOS IRREGULARES

SABER	sepa/as/a...
IR	vaya/as/a...
TENER	tenga/as/a...
HACER	haga/as/a...
DECIR	diga/as/a...

o-ue, e-ie, e-i

PODER	pueda/puedas/pueda/ podamos/podáis/puedan
QUERER	quiera/quieras/quiera/ queramos/queráis/quieran
PEDIR	pida/pidas/pida/ pidamos/pidáis/pidan

SENTIMIENTOS Y SENSACIONES

¡Qué rico!	¡Qué miedo!
¡Qué bien!	¡Qué horror!
¡Qué suerte!	¡Qué lata!
¡Qué guay!	¡Qué nervios!
¡Qué divertido!	¡Qué rollo!
¡Qué gracioso!	¡Qué daño!
¡Qué asco!	¡Qué cansancio!
	¡Qué frío!
¡Qué mala suerte!	¡Qué calor!
¡Qué vergüenza!	¡Qué susto!

Me da miedo
Me pone nervioso/a
Me da vergüenza — que **hagas** eso.
Me da pena   que + *SUBJUNTIVO*
Me da rabia
Me hace reír — **hacer** eso.
No me importa   *INFINITIVO*
Me hace feliz

(TÚ)
que **hagas** eso.
SUBJUNTIVO
Me **da** miedo (YO)
(A MÍ) → **hacer** eso.
INFINITIVO

5. SI FUERA UN ANIMAL, SERÍA...

Termina los **Si fuera...** y justifica tu elección hablando de tu carácter o de tu conducta. El profesor recogerá los escritos y los leerá en voz alta. Entre todos, trataremos de adivinar quién es el autor de cada uno.

– Si fuera un animal, sería...
– Si fuera una estación del año...
– Si fuera una planta...
– Si fuera un instrumento musical...
– Si fuera un accidente geográfico...
– Si fuera un mueble...

✏ *Yo, si fuera un accidente geográfico, sería un volcán porque parezco muy tranquilo pero cuando me enfado puedo ser muy agresivo.*

6. LA MEJOR AMIGA DE PABLO

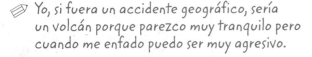

🎧 **A** ¿Crees que Pablo tiene algún problema con estas tres chicas? Lee y escucha lo que dicen ellas sobre él.

....	está enamorada/o de	....
....	tiene celos de	....
A	le da rabia que	....
A	le da pena que	....

● *Lo que le pasa a Silvia es que...*

Pablo y yo nos conocimos en un chat. Enseguida me pareció un chico muy especial, diferente..., muy maduro para su edad. Y un día quedamos para vernos. Fue un sábado. Me acuerdo muy bien: ¡ya hace un año! Amor a primera vista: un flechazo. Pero el problema es que siempre está hablando de su ex, una tal Bibiana, de su cole. ¡Y la otra!, la amiga de la infancia, la sabelotodo de Caty. "Que hoy tengo que trabajar con Caty, que Caty me espera para hacer la tarea...". No sé... Estoy harta. Ayer, por ejemplo, me enojé un poco. ¡Caty le mandó cuatro mensajes en una hora! Y después nos encontramos por la calle a Bibiana, la ex.

¿Cómo conocí a Pablo? Pues hace dos años que lo conozco. Un día con unas compañeras de clase fuimos al cine. Y en la entrada nos encontramos al hermano de una de ellas, de Nina, que nos presentó a sus amigos. Uno de ellos era Pablo. Enseguida me cayó bien. Me pareció un chico muy divertido. Al salir del cine fuimos a tomar algo todos juntos. Él me pidió mi número de móvil y yo, claro, se lo di... Al cabo de un rato me mandó un mensaje: "K bien abert konocido", o algo así. Luego estuvimos saliendo juntos una temporada. Pero lo dejamos. No sé... Yo lo encuentro un poco infantil, poco maduro. Un día discutíamos por una cosa, otro día por otra... No tenemos los mismos gustos ni los mismos intereses. Yo ya lo he olvidado. Mi amiga Nina dice que todavía estoy colgada de él pero no es verdad. Le veo a menudo, al salir de clase, con esa tonta con la que sale ahora, una tal Silvia, y nada...

Pablo y yo nos conocimos en el parvulario. O sea que hace diez años que vamos al mismo cole. Nos llevamos muy bien y muchas veces hacemos trabajos juntos o preparamos los exámenes en su casa. Además, vivimos en el mismo barrio. A mí me gusta mucho estar con él... Pero antes salía con Bibiana y ahora sale con Silvia... A ella no le gusta mucho que venga a mi casa a estudiar, pero lo siento... ¡Es mi mejor amigo!

B ¿Qué tiene que hacer Pablo? Discútelo con dos compañeros y escribidle una pequeña carta con algunos consejos.

C Escribe un pequeño texto sobre uno de tus mejores amigos o amigas o sobre alguien con quien has tenido una relación. Explica:

- ¿Cómo os conocisteis?
- ¿Cómo es?
- Cuando os veis, ¿qué hacéis?
- ¿Cómo os lleváis?

7. ¿QUÉ ES UN AMIGO DE VERDAD?

A Lee estas tres citas sobre la amistad y decide si estás de acuerdo. Después coméntalo con tus compañeros.

"Los verdaderos amigos se tienen que enfadar de vez en cuando."
PASTEUR

"La amistad es el más perfecto de los sentimientos del hombre, pues es el más libre, el más puro y el más profundo."
LACORDAIRE

"La única manera de poseer un amigo es serlo."
EMERSON

B ¿Sabes qué es un acróstico? De cada letra de la palabra vertical sale una frase o un verso. Con dos compañeros tenéis que hacer uno con la palabra **amistad**. Podéis usar el diccionario.

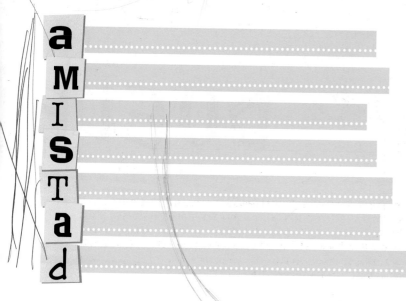

a
M
I
S
T
a
d

la **chuleta** de **gramática**

DURACIÓN

¿**Cuánto hace que** conoces a Julia?
¿**Hace mucho que** sales con Agustín?
¿**Desde cuándo** os conocéis?

Hace 10 años.
Hace tres meses **que** salgo con él.
Hace mucho **que** nos conocemos.

¿Cuánto hace que no te cortas el pelo?

Mucho

LLEVAR + GERUNDIO
Llevo dos horas **esperándote**.
Toni y yo **llevamos** seis meses **saliendo**.

RELACIONES

Nos conocimos en casa de un amigo.
el año pasado.

A David **me lo presentó** Eva.
A Eva **me la presentó** mi hermana.
Nos presentó mi hermana.

CONDICIONAL DE SER

SER
ser**ía**
ser**ías**
ser**ía**
ser**íamos**
ser**íais**
ser**ían**

Si fuera + CONDICIONAL
Si fuera una flor, **sería** una orquídea.

☀ **Fuera** es un tiempo verbal nuevo, el Imperfecto de Subjuntivo, que aprenderás en la unidad 6.

DUELE

Nada justifica que una persona
maltrate y humille a otra.
En el acoso escolar todos somos parte
y debemos apoyar a la víctima.
La razón está de tu parte,
no dejes que te destrocen la vida.
Infórmate sobre los medios
que hay a tu alcance
para salir de una situación de acoso.

convive y deja vivir

Junta de
Castilla y León
www.educa.jcyl.es

www.fadae.org

El ACOSO escolar

Casi un 2% de los niños y jóvenes españoles sufre por acoso escolar

Bullying es una palabra inglesa que significa intimidación. Desgraciadamente, en España, como en otros países, está de moda. Son muchos los casos de agresiones en las escuelas y en los colegios, de violencia de unos estudiantes contra otros.

El que ejerce el *bullying* lo hace para imponer su poder sobre el otro, a través de constantes amenazas, insultos, agresiones, vejaciones, etc. Así consigue tenerlo bajo su dominio a lo largo de meses e incluso de años. Las víctimas sufren, en la mayoría de los casos, en silencio. Sienten dolor y angustia pero muchas veces se callan por miedo.

En España se estima que un 1,6% de los niños y jóvenes estudiantes sufren este fenómeno de manera constante y que un 5,7% lo vive de vez en cuando. El Defensor del Pueblo señala que el 5% de los alumnos reconoce que algún compañero le pega, mientras el Instituto de Evaluación y Asesoramiento Educativo (IDEA) indica que un 49% de los estudiantes dice ser insultado o criticado en el colegio, y que un 13,4% confiesa haber pegado a sus compañeros.

El tema salta a los medios de comunicación en España cuando Jokin Zeberio, de 14 años, se suicidó, tirándose al vacío con su bicicleta, desde lo alto de la muralla de Hondarribia, en el País Vasco, en septiembre de 2004. Jokin padeció el acoso de unos compañeros de clase durante años. Las continuas amenazas, humillaciones, insultos, golpes y palizas lo hicieron sufrir y lo llevaron a la muerte. Este hecho hizo estallar la alarma social, política y educativa, y ha generado múltiples debates.

¿Qué podemos hacer contra el *bullying*? Los expertos dicen que es responsabilidad de todos. Tanto los profesores como la familia deben estar muy atentos a los síntomas. En clase hay que hablar del tema, discutirlo. Y sobre todo no hay que quitarle importancia, no se pueden cerrar los ojos ante este problema. Cuando en el patio del colegio o en la calle un compañero se ríe del aspecto de otro, le insulta, le arremete física o psíquicamente, no podemos quedarnos callados y mirar hacia otra parte. No es una broma. Y puede terminar muy mal.

convive y deja vivir

Junta de
Castilla y León
www.educa.jcyl.es

DUELE

Parar el acoso escolar es cosa de todos: alumnos, profesores y padres.
El acosador nunca tiene razón y jamás debe tener tu apoyo.
Si eres testigo de una situación de acoso, consulta con los profesores
qué medios existen a tu alcance para resolverla.

www.fadae.org

REDES DE EMOCIONES

Un emoticón o *smiley* es el dibujo simple de la cara de una persona, mediante el cual se representa un estado de ánimo. Se utilizan en los chats, en el correo electrónico y en otros medios escritos de carácter informal. ¿Los conoces? ¿Te atreves a descifrarlos?

En **azul** tienes los emoticonos que se utilizan en Latinoamérica y en **negro** los que se utilizan en España.

:-(((:o(

a. Estoy enfadado/a.
b. Estoy triste.
c. Cállate.

):-(

a. Estoy muy enfadado/a.
b. Estoy de mal humor.
c. ¡Qué susto!

(8-O :oO

a. Estoy muy sorprendido/a.
b. ¡Qué sueño!
c. ¡Qué hambre!

:*) :o*

a. ¡Qué vergüenza!
b. ¡Qué horror!
c. Te mando un beso.

|-O

a. Estoy cansado/a.
b. Me aburro.
c. ¡Qué sueño!

%-(

a. Llevo demasiado tiempo delante del ordenador.
b. Estoy preocupado/a.
c. Estoy nervioso/a.

:-D :oD

a. ¡Qué risa!
b. Estoy contento/a.
c. ¡Qué guay!

**:-DDD
X-D
:-))))))**

a. Me muero de risa.
b. Estoy feliz.
c. Cuéntame.

● Y tú ¿por qué estás tan gordo?
○ ¿Yo? Porque soy muy tranquilo, nunca me pongo nervioso, nunca discuto con nadie.
● ¡Hombre, qué bobada! ¡Cómo va a ser por eso!
○ Bueno, pues quizás no.

Ja, ja, ja, ja...

ES LUNES Y HOY EMPIEZA EL COLE. LOS DE LA PEÑA Y SUS VECINOS VAN AL MISMO COLEGIO. VAN TODOS EN AUTOCAR Y SALEN DE LA PARADA A LAS 8.40 H. TODOS ESTÁN UN POCO NERVIOSOS PORQUE ES EL PRIMER DÍA DE CLASE. ¿HABRÁ ALGÚN PROFE NUEVO? ¿Y NUEVOS COMPAÑEROS? DICEN QUE YA NO ESTÁ GONZÁLEZ, EL PROFE DE MATES, QUE A TODOS, EL AÑO PASADO, LES CAÍA FATAL... Y QUE LA TUTORA DE 3° DE E.S.O. ES CARMEN, LA PROFESORA DE FRANCÉS, QUE ES MUY MAJA Y SE LLEVA MUY BIEN CON TODOS LOS ALUMNOS. Y ES QUE ENTIENDE LOS PROBLEMAS DE LOS ADOLESCENTES Y SABE ESCUCHAR. SUS CLASES, ADEMÁS, SON MUY DIVERTIDAS: HACEN TEATRO EN FRANCÉS, ESCUCHAN MÚSICA FRANCESA, HACEN MUCHOS TRABAJOS ALGO EN GRUPO...

¿ADÓNDE VA ÁLVARO? CAP.2

EL PRIMER DÍA NO HA IDO MAL. HAY PROFESORES NUEVOS Y, EFECTIVAMENTE, CARMEN, LA PROFESORA DE FRANCÉS, ES LA TUTORA DE LOS DE 3°. HOY NO HAN TRABAJADO MUCHO. LES HAN DADO LOS HORARIOS Y HAN COMENTADO LOS OBJETIVOS DE LAS ASIGNATURAS; LO TÍPICO DEL PRIMER DÍA.

ÁLVARO ES UN CHICO QUE NO CAE MUY BIEN A ALGUNOS DE LOS DE LA PEÑA. HACE DOS AÑOS LLEGÓ AL BARRIO Y AL COLEGIO. Y ES UN POCO CHULO, LA VERDAD. NO HABLA CON CASI NADIE Y CASI SIEMPRE ESTÁ SOLO. ADEMÁS, AHORA KIKE ESTÁ MEDIO ENAMORADO DE ARTEMIS Y LE DA MUCHA RABIA QUE ARTEMIS SEA UNA DE LAS POCAS PERSONAS QUE HABLA CON ÁLVARO. Y ESO QUE SON COMPLETAMENTE DIFERENTES. ÁLVARO ES UN PIJO, QUE SIEMPRE VA VESTIDO CON ROPA DE MARCA Y QUE, SIEMPRE QUE PUEDE, COMENTA QUE SUS PADRES TIENEN DOS COCHES, UN BARCO, UNA CASA MUY GRANDE EN LA PLAYA Y UN APARTAMENTO EN LA SIERRA. ARTEMIS ES COMPLETAMENTE DISTINTA: TIENE MUCHA PERSONALIDAD, VISTE DE UNA FORMA MUY ESPECIAL Y NO LE IMPORTA LA OPINIÓN DE LOS DEMÁS. ÁLVARO NO SE LLEVA MUY BIEN CON LOS DE LA PEÑA, ES VERDAD, PERO HOY TODOS VUELVEN A CASA PREOCUPADOS. ¡TIENEN QUE AVERIGUAR SIN PERDER TIEMPO SI LE HA PASADO ALGO!

(CONTINUARÁ)

El DOSSIER de la CLASE

1 Ésta es una web imaginaria de jóvenes, ayudame.com, en la que algunos chicos y chicas escriben sus problemas y piden consejo.

Atrás | Adelante | Detener | Actualizar | Página principal | Autorrelleno | Imprimir | Correo

Dirección: http://www.ayudame.com/foro/

Favoritos | Historial | Buscar | Álbum | Marcador de páginas

WWW.AYUDAME.COM

Inicio | Regístrate | Ayuda | Buscar

Inicio >> >> >> Foro juvenil

Autor	Mensaje
LUNA	Yo pienso que los chicos son unos personajes muy raros. Yo no los entiendo muy bien. ¡¡¡Siempre están gritando y empujándose!!! :)))))))... Pero, ahora, desde hace unas semanas, la verdad es hay uno que me gusta. Cuando se acerca y me habla, me pongo muy nerviosa, y no sé qué decir... Soy un poco tímida y me cuesta mucho expresar mis sentimientos. Tengo miedo de que piense que soy medio tonta. Pienso que le gusto un poco pero no estoy totalmente segura. ¿Qué puedo hacer para saberlo?
BERTÍN	Tengo 15 años pero parezco más joven. No tengo barba ni granos. Y soy el más bajito de la clase. Me llevo muy bien con las chicas. A veces salgo con las compañeras de clase y lo pasamos bien. Pero ninguna quiere ser mi novia... :,-(Mis padres dicen que tengo mucho tiempo por delante pero... ¡No todo es el fútbol en la vida!, ¿no? ¿Qué pensáis? ¿Qué tengo que hacer?
SANTI	Hace poco que vivo en la ciudad. Y, claro, en el cole soy "el nuevo". Como soy una persona un poco insegura, no hablo con nadie y me siento muy solo. En clase me parece que hay algunos que se ríen de mí. Bueno, a lo mejor son sólo manías pero... ¿Qué puedo hacer?
GALA	Mis padres no me entienden. Siempre están diciendo: "eres demasiado pequeña". Demasiado pequeña para salir de noche, demasiado pequeña para hacerme un *piercing*, demasiado pequeña para la ropa que me gusta... ¿Cuándo creceré? ¡Ya tengo catorce años! Mi hermano, en cambio, puede hacer todo lo que quiere. ¡No es justo! Él tiene 16 pero yo creo que le dejan hacer todo porque es un chico y, además, mi madre lo tiene muy mimado. Me parece que le quiere más que a mí...

ALGUNAS RESPUESTAS Y CONSEJOS

>> Eso siempre pasa, no te preocupes.

>> Las chicas siempre se fijan en chicos mayores. Es normal.

>> No es fácil saber lo que siente otra persona.

>> El aspecto físico no es tan importante.

>> Invita a alguna de tus compañeras a salir.

>> Es normal.

>> Tranquilo/a.

>> ¿Por qué no te apuntas a hacer algún deporte?

>> Díselo claramente.

>> Escríbele una carta.

>> Seguro que os quiere a los dos igual.

>> Cuéntaselo a alguien.

---

2 Ahora, en parejas, elegid uno de los problemas y responded con un texto para el foro. Hay que...

– comentar el problema del chico o de la chica, dando vuestro punto de vista,
– preparar por escrito algunos consejos,
– y leer vuestra repuesta al resto de la clase.

EL CONSULTORIO DE LA CLASE

Vamos a crear un consultorio, como el de **ayudame.com**. Vamos a escribir cartas inventando problemas y a responder a las que escriban nuestros compañeros.

TAREA

A Primero, entre todos, hacemos una lista de los problemas típicos de los jóvenes. Aquí tenéis algunos que han escrito unos chicos para inspiraros.

B Cada grupo elige uno de los problemas e inventa un personaje que lo tiene: hay que ponerle un nombre, pensar en su carácter y en sus costumbres, etc.

C Vamos a escribir una petición de consejo de nuestro personaje inventado para nuestro consultorio en Internet.

D Después, el profesor nos dará el mensaje de otro grupo y lo contestaremos con comentarios y con consejos.

- Quiero aprender a tocar la batería pero mis padres me han dicho que hace demasiado ruido y que es muy cara.
- Cuando me miro al espejo, no me gusto.
- Hay un chico en mi clase que siempre me molesta.
- Mis padres no me dejan ir a conciertos.
- Mi hermana me tiene harta porque saca unas notas fabulosas y, claro, luego hay comparaciones.
- Me quiero hacer un piercing pero me da miedo.
- A mi mejor amiga y a mí nos gusta el mismo chico.
- El profe de Química me odia. Siempre me pregunta lo más difícil y me pone unas notas bajísimas.
- En clase me siento totalmente aislada. Nadie habla conmigo y cuando la profe dice "vamos a hacer grupos" me pongo a temblar.

3

¿Quién tiene razón?

En esta unidad vamos a:

Escribir una pequeña obra de teatro sobre un conflicto familiar y a representarla delante de la clase.

Para ello vamos a aprender:

- a discutir y a mostrar desacuerdo
- a mostrar enfado
- a justificar y a argumentar
- a hablar de lo que nos molesta
- a hablar de movimiento y de posición: **sentarse, ponerse de pie, estar sentado**...
- algunas perífrasis verbales: **ponerse a** + Infinitivo, **dejar de** + Infinitivo, **seguir** + Gerundio, **estar a punto de** + Infinitivo, **acabar de** + Infinitivo...
- a expresar el modo: adverbios en **-mente**, Gerundio, **sin** + Infinitivo
- algunos usos de **estar**
- algunos usos del Subjuntivo: **me molesta que** + Subjuntivo

1. EL ESCENARIO

El dibujante que ha diseñado este decorado teatral ha cometido ocho fallos. Lee el texto y localízalos en la imagen.

- *La chica no está tumbada en el suelo, está sentada.*

El decorado representa la habitación de una chica joven. A la derecha se ve una cama de metal muy desordenada, con mucha ropa encima; a la izquierda, un armario que tiene una de las puertas abiertas y, al fondo, una mesa de trabajo con un ordenador. Está repleta de libros y libretas. En primer plano hay una chica que está tumbada en el suelo, donde hay muchos CD, fotos y otras cosas. Es morena y lleva el pelo muy corto. Lleva pendientes largos de color azul y minifalda. Está descalza. La chica está escuchando música con los cascos puestos y comiendo patatas fritas. La puerta está entreabierta y se ve a un chico, su hermano, que está a punto de entrar en la habitación. El hermano tiene una raqueta de tenis en la mano. Es rubio, lleva gafas y el pelo muy largo. Lleva un chándal verde. Está muy enfadado porque quería jugar al tenis esta tarde y acaba de darse cuenta de que su hermana le ha roto su raqueta.

2. LOS BOCETOS

A ¿Cuál de estos bocetos es el correcto? Ayuda de nuevo al dibujante. Escucha estas descripciones e identifica el dibujo correspondiente.

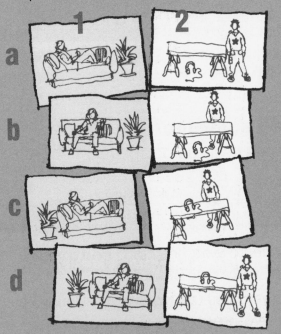

B Vamos a jugar. En tu libreta dibuja (sin que nadie lo vea) el boceto de un escenario. Puede haber personajes, objetos, muebles... Descríbelo a un compañero, que lo tiene que dibujar sin mirar.

- *Hay una puerta que está a la derecha y una ventana, en la pared del fondo. En la pared de la derecha hay un cuadro con...*

3. ESCENAS

A Ésta es la escena de una obra de teatro. Lee el texto y fíjate en cómo describe el autor la escena.

Son las nueve de la noche. La familia Delgado está en el comedor de la casa. El padre, la madre y el hijo (un chico de unos trece años, con el pelo largo y una camiseta de baloncesto que le llega por debajo de las rodillas) están sentados a la mesa cenando. Todos parecen estar de mal humor. Encima de la mesa hay una fuente con macarrones y una ensalada. A la derecha de la madre hay una estantería en la que hay muchos objetos de decoración y entre ellos un jarrón con flores rojas. A la izquierda se ve una ventana. Detrás de la mesa se puede ver la puerta que da a la cocina.

La familia está discutiendo porque Julio, el hijo, ha suspendido el examen de matemáticas y le quieren castigar el fin de semana sin ir a casa de su amigo Carlos. Mar, la hija, entra en la cocina con aspecto muy triste, con los ojos rojos de haber llorado y se sienta a cenar. La madre se levanta y se acerca a ella para tratar de consolarla pero ella se pone a llorar otra vez. El hermano se queda sentado y deja de comer. Luego, la madre se vuelve a sentar y siguen cenando y hablando del problema de Mar: va a un nuevo colegio y unas compañeras se ríen de ella en clase y la tratan muy mal.

B Ahora describe tú la tercera escena de la misma obra de teatro con un compañero.

4. ACOTACIONES

A Lee este fragmento de una obra y escribe, en una tabla como la que tienes abajo, cómo se describe lo que hacen los personajes en las acotaciones.

(Borja entra silenciosamente en la cocina)

MADRE: ¿Por qué llegas tan tarde? *(La madre está de pie, al lado de la puerta, con el pijama puesto)*

BORJA: Porque he perdido el autobús. *(El chico se queda en la puerta sin moverse)*

MADRE: ¿Y no sabes llamar con el móvil?

BORJA: Sí, pero es que primero no tenía cobertura y después se me ha acabado la batería. *(Sacando el móvil del bolsillo)*

MADRE: ¿Y ninguno de tus amigos tenía un móvil? *(Entrando en la sala lentamente)*

BORJA: Es que estaba solo… *(Mirando al suelo)*

MADRE: ¿Cómo que solo? *(Cada vez está más enfadada)*

BORJA: Sí, porque Carlos se ha ido a dormir a casa de Juan y Gonzalo…

MADRE: Mira, no quiero seguir discutiendo contigo. Es muy tarde y estoy cansada. Me voy a la cama y mañana hablamos, pero de ir al partido de baloncesto, ni hablar. *(Saliendo de la cocina rápidamente y sin mirar a su hijo)*

BORJA: Pero mamá… *(Mirando hacia la puerta)*

CON GERUNDIO	CON INFINITIVO	CON ADVERBIO	OTROS
		silenciosamente	

B Representad el diálogo siguiendo las indicaciones que se dan en las acotaciones.

C Después, cambiad las acotaciones y representad el diálogo de nuevo, de otra manera.

③ la **chuleta** de **gramática**

USOS DE ESTAR

Pablo **está de pie / sentado / tumbado /**…

estar + GERUNDIO
Pablo **está estudiando / leyendo /**…

Pablo **está en** la cocina.
  está a la derecha / izquierda.
  está al lado de la cama.

Pablo **está con** los auriculares puestos.
  está vestido / desnudo / descalzo /…
  está en pijama / bañador /…

Pablo **está de mal humor / enfadado / contento / nervioso /**…

MOVIMIENTO Y POSICIÓN

Muchos verbos que indican movimiento o posición son reflexivos y van con los pronombres **me/te/se/nos/os/se**…

acercarse a / alejarse de
acostarse
tumbarse
sentarse
levantarse (**de** la mesa)
ponerse de pie / rodillas
quedarse sentado / de pie /…

PERÍFRASIS VERBALES

ponerse a + Infinitivo
Se pone a llorar.

dejar de + Infinitivo
Deja de ver la tele cuando su madre entra.

seguir + Gerundio
Sigue comiendo el bocadillo.

estar a punto de + Infinitivo
Está a punto de llegar.

acabar de + Infinitivo
Acaba de entrar en casa.

volver a + Infinitivo
A las nueve, **vuelve a llamar** por teléfono.

EXPRESAR EL MODO

adverbios
Entra **silenciosamente**.

sin + Infinitivo
Entra **sin hacer** ruido.

Gerundio
Entra **llorando** y **gritando**.

con
Entra **con** un paraguas.

5. EL VESTUARIO

A Mira la imagen y la lista de abajo. Trata de deducir cómo se llama cada cosa del dibujo. Si hay palabras que no conoces, fíjate en los colores, en las formas, busca palabras parecidas en otros idiomas, etc.

B Estos dos chicos tienen que disfrazarse para representar los siguientes papeles. ¿Cómo se visten? En parejas escoged al menos tres cosas para cada uno. Después, haced una pequeña descripción de lo que van a llevar puesto. ¡Podéis añadir otras cosas!

– el jefe de una banda de "cabezas rapadas"
– un abuelo del siglo pasado
– un cantante de rap
– una señora muy elegante que va a la ópera
– un ejecutivo que va a una reunión de trabajo
– una hippie de los años 70

● La señora que va a la ópera puede ponerse el vestido largo de color negro.
○ Sí, y también...

– un bigote negro postizo
– una perilla blanca postiza
– una barba gris postiza
– 3 pelucas con pelo liso y rubio, una pelirroja y la otra con el pelo rizado y castaño
– un moño postizo
– gafas de sol redondas
– gafas de sol verdes

– gafas metálicas antiguas
– una gorra marrón
– un bastón
– una camiseta de basket
– una gorra de béisbol
– unos pantalones anchos
– una cartera de piel negra
– unas botas negras
– unas zapatillas de deporte

– unos zapatos de tacón
– unos zapatos de hombre marrones
– unas chancletas de plástico naranjas
– unas botas camperas
– unos tejanos
– una minifalda a cuadros
– un vestido largo negro de fiesta
– un vestido corto estampado
– una falda larga estampada

– un traje azul marino
– una corbata granate
– una camisa azul celeste
– una pajarita verde
– un abrigo de pieles
– una cazadora verde oscuro
– una camiseta rosa
– un bolso de cocodrilo
– un collar de perlas

6. ESTADOS DE ÁNIMO

A En el teatro es muy importante expresar los estados de ánimo, los sentimientos... Vais a escuchar a unos personajes diciendo cada frase dos veces. Tenéis que decidir cómo están y dibujar el emoticón correspondiente en una tabla como ésta.

triste

enfadado

sorprendido

muerto de risa

	sorprendido	enfadado	triste	muerto de risa
1				
2				
...				
10				

B Ahora, juega con un compañero. Escribid juntos cuatro frases nuevas y ensayad cómo decirlas de formas diferentes. Luego, el resto de la clase tiene que adivinar vuestro estado de ánimo.

7. LA CONVIVENCIA

Aquí tienes una lista de cosas que suelen hacer los hermanos o los padres. Escribe en tres columnas: lo que te fastidia muchísimo, lo que te molesta un poco y lo que no te importa.

- Cambiar el canal de televisión.
- Estar demasiado tiempo en el cuarto de baño.
- Coger ropa sin pedir permiso.
- Entrar en la habitación sin llamar a la puerta.
- Llamar a los padres en mitad de una riña.
- Ponerse a llorar para conseguir la atención de los padres.
- Hablar demasiado tiempo con los amigos.
- Hablar mucho tiempo por teléfono.
- Recibir más dinero de paga.
- Tener permiso para llegar más tarde a casa.
- Despertar cuando se quiere dormir más.

✏ Me fastidia muchísimo que mi hermano cambie el canal de televisión sin preguntar.

8. NUESTRA FAMILIA

A Para nuestra obra de teatro vamos a imaginar una familia de, al menos, seis miembros. Tenéis que decidir las siguientes cosas:

- sus nombres
- sus profesiones
- su aspecto físico
- su carácter

- sus gustos
- las relaciones entre ellos
- su estado de ánimo
- sus hábitos

B En grupos, vais a hacer un póster con vuestra familia imaginaria. Recortad fotos que representen a los miembros de la familia y haced un diagrama (con flechas) con las relaciones entre ellos. Añadid todas las informaciones sobre cada miembro de la familia.

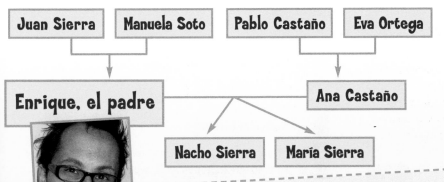

Es informático y trabaja para una empresa farmacéutica. Es alto y delgado. Lleva gafas y un poco de barba y tiene el pelo castaño. Es muy alegre y está casi siempre de buen humor pero últimamente está un poco nervioso por problemas en el trabajo. Le encanta ir en bicicleta, cocinar y escuchar música rock. Se lleva muy bien con sus hijos porque tiene mucha paciencia y sabe escucharlos, pero a veces se enfada con su hijo Nacho porque éste llega demasiado tarde a casa. No se lleva nada bien con su suegra porque siempre llama por teléfono molestando y preguntando cosas tontas.

DESCRIPCIONES FÍSICAS

Lleva barba / gafas / zapatos de tacón /...
Tiene el pelo rizado / los ojos azules /...
Se ha hecho un *piercing* / tatuaje.
Lleva el pelo teñido de rubio.
No es ni alto **ni** bajo.
Es más bien gordito.

DESCRIPCIONES DE CARÁCTER

Es muy / bastante / demasiado tímido/a.
Es una persona un poco especial.
Es un chico / una chica / un señor / una señora /... muy amable.

ESTADOS DE ÁNIMO

Silvia **está enfadada con** su hermano.
Está nerviosa / de mal humor / triste / contenta / preocupada /...

~~soy~~ contento/a
~~soy~~ preocupado/a
~~soy~~ de buen / mal humor

☀ Sara **es** muy nerviosa. *(Es su carácter.)*
Sara hoy **está** muy nerviosa.
(Normalmente es una persona muy tranquila.)

REACCIONES ANTE ACCIONES DE OTROS

YO / A MÍ	OTRA PERSONA
Me molesta (mucho)	
Me fastidia	
Lo que más me molesta es	
No soporto / aguanto	que + SUBJUNTIVO
Me da (mucha) rabia	que ella **se ponga**
Me pone (muy) nerviosa	mi ropa
Me encanta	
Me hace reír	
...	

9. LOS DIÁLOGOS

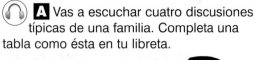 **A** Vas a escuchar cuatro discusiones típicas de una familia. Completa una tabla como ésta en tu libreta.

Tema sobre el que discuten	¿Quiénes son?	¿Cuál es el problema?
1.		
2.		
3.		
4.		

B Ahora lee las transcripciones. ¿Quién crees que tiene razón en cada caso?

1

Luis: Dame ahora mismo mi gorro.
Sofía: No me da la gana. Dame tú primero mis tijeras.
Luis: No quiero porque las necesito; además no son tuyas. Son de todos.
Sofía: Son mías porque las he comprado yo.
Luis: Ya, pero no con tu dinero...
Sofía: Es igual con qué dinero, pero las tijeras son mías.

2

Madre: David, ¿quieres bajar de una vez? Vamos a llegar tarde al cine.
Padre: Ya voy, ya voy, si tenemos tiempo de sobra...
Madre: ¡Cómo que tiempo de sobra! Son las siete y la película empieza a las ocho.
Padre: Pues eso, tiempo de sobra.
Madre: Pero, ¿qué dices? ¿Tú sabes el tráfico que hay ahora? Y, además, no tenemos las entradas reservadas. ¡Cómo se te ha olvidado...!
Padre: ¿A mí? La primera noticia que tengo. Ahora resulta que yo tenía que comprar las entradas...
Madre: Pues yo te lo dije...

3

Padre: No vas y se acabó.
Álvaro: ¿Pero por qué?
Padre: Pero... ¡cómo que por qué! Traes tres suspensos a casa... ¿y todavía preguntas que por qué no puedes salir esta noche? Pues porque estás castigado.
Álvaro: Papá, he estado todo el día estudiando en mi habitación y necesito salir un poco.
Padre: Haber pensado en eso antes de los exámenes.
Álvaro: Pero si es que los profes me tienen manía...

4

Madre: Sonia, recoge la mesa.
Sonia: ¿Por qué yo?
Madre: Pues porque tú también has comido. ¿O no?
Sonia: ¿Y Víctor?
Madre: Tu hermano ya ha puesto la mesa hoy mientras tú hablabas por teléfono horas y horas con María.
Sonia: Mamá, María me estaba preguntando una cosa de los deberes...
Madre: Ya... Y por eso teníais que hablar durante una hora... Hablar de Hugo, de la tele, de qué te vas a poner mañana...
Sonia: ¡Ya has estado otra vez escuchando!
Madre: No, hija, pero es que hablas tan alto...
Sonia: Mañana tengo que entregar un proyecto de Ciencias y todavía no he empezado...
Madre: Ya, ya... Pero cinco minutos para recoger seguro que los tienes.

C Ahora, con un compañero, decide quién tiene razón en cada caso y explica por qué.

D En las siguientes conversaciones hay algunos recursos muy típicos para mostrar enfado, impaciencia o desacuerdo. Escucha y lee estas diferentes maneras de decir lo mismo. ¿Quién está más enfadado, más agresivo o más impaciente: A o B?

1
A Dame ahora mismo mi gorra.
B ¿Me puedes dar la gorra, por favor?

2
A No puedo dártela.
B No quiero dártela.

3
A Pero... ¡qué dices! ¡Cómo que tenemos tiempo de sobra!
B Yo creo que no tenemos tiempo de sobra.

4
A ¿Quieres bajar de una vez?
B Tienes que bajar. Es tarde.

5
A No entiendo que me preguntes por qué.
B ¿Cómo que por qué?

6
A No vas y se acabó.
B No vas a ir.

Lazarillo de Tormes

El *Lazarillo de Tormes* es un libro muy popular de la literatura española. Se trata de uno de los mejores ejemplos de novela picaresca, llamada así porque el protagonista es un pícaro, un niño sin familia y muy pobre que se tiene que buscar la vida para no morirse de hambre. Este libro es anónimo y del siglo XVI. Cuenta la historia de Lázaro, un niño que trabaja para varios amos, de los que irá aprendiendo muchas cosas. El primero es un ciego muy listo y muy malo que le enseña mucho sobre la vida. A continuación, tienes un fragmento del libro.

El Lazarillo y las uvas

Sucedió que llegando a un lugar que llaman Almorox al tiempo que cogían las uvas, un vendimiador le dio un racimo de ellas de limosna. Como estaban muy maduras, se le desgranaba el racimo en la mano, y acordó no echarlas en el fardel*.

—Ven Lázaro —me dijo—; guíame hasta la sombra de algún árbol que esté cerca de aquí.

Hice lo que me pidió, y cuando estuvimos acomodados me dijo:

—Para que veas hasta donde llega mi liberalidad, quiero que hoy comamos ambos de estas uvas, en partes iguales. Haremos una cosa: tú picarás una vez y yo otra, con tal que me prometas no tomar cada vez más de una uva. Yo haré lo mismo hasta que las acabemos, y de esta suerte no habrá engaño.

Hecho así el concierto, comenzamos; más pronto el traidor mudó su propósito y empezó a tomar de dos en dos, considerando, en su malicia, que yo debía hacer lo mismo. Como vi que él quebraba la postura, no me contenté con ir a la par con él: dos a dos y tres a tres y como podía las comía. Acabado el racimo, estuvo un poco con el escobajo en la mano y, meneando la cabeza, dijo:

—Lázaro, me has engañado. Aseguraría que tú has comido las uvas de tres a tres.

—No es cierto —respondí yo— mas ¿por qué sospecháis eso?

Contestó el sagacísimo viejo:

—¿Sabes en qué veo que las comiste de tres en tres? En que yo comía de dos a dos y callabas.

Tan cortado me dejó la respuesta que no supe qué decir.

(...)

*fardel: bolsa
*sagacísimo: muy listo

- Doctor, me duele todo.
- ¿Todo?
- Sí, me toco la cabeza y me duele. Me toco el estómago y me duele. Me toco el brazo y me duele. Me toco...
- ¡Usted tiene el dedo roto!

Fruta fresca

Ese beso de tu boca
que me sabe a fruta fresca,
que se escapó de tus labios
y se metió en mi cabeza.
Ese beso con que sueño
cuando las penas me acechan,
que me lleva al mismo cielo
y a la tierra me regresa.
Y que reza, reza, que reza
y aunque ya no tenga cura,
el recuerdo de sus besos
me lleve hasta la locura.
Sí, sí, sí,
que este amor es tan profundo,
que tú eres mi consentida,
y que lo sepa todo el mundo.
Que tú eres mi consentida,
la niñita de mis ojos,
la que me endulza la vida,
la que calma mis enojos.
La que se pone más linda
cuando la llevo a una fiesta,
esa que siempre en mi cama
con los ángeles se acuesta.
(...)

Escucha esta canción.

1. A ti, ¿en qué te hace pensar la expresión fruta fresca?

2. ¿Cuántas partes del cuerpo se mencionan? Escríbelas.

3. ¿Cuál de estas declaraciones de amor no es de la canción?
Te quiero de veras / Como tú no hay ninguna / Siempre te amaré

LA PEÑA DEL GARAJE

HELADOS PELIGROSOS CAP.5

KIKE Y SUS AMIGOS HAN DEJADO EL PAQUETE CON EL PELO Y LA CARTA DE LOS SECUESTRADORES EN LA ENTRADA DE LA CASA DE ÁLVARO. ASÍ SU PADRE LO VERÁ. SIN PERDER TIEMPO VAN A REUNIRSE EN EL GARAJE. MIGUEL TIENE EL TELÉFONO MÓVIL DE UNO DE LOS HOMBRES DEL TODOTERRENO. PROBABLEMENTE ESO LES DARÁ ALGUNA IDEA PARA SEGUIR INVESTIGANDO O PARA DECIDIR QUÉ PUEDEN HACER PARA AYUDAR A SU AMIGO Y A SU FAMILIA.

VENGA, MIGUEL, CUÉNTANOS ESO DEL MÓVIL...

PUES QUE EL OTRO DÍA, EL DÍA QUE SE LLEVARON A ÁLVARO EN EL TODOTERRENO, PERDIERON UN MÓVIL. Y YO LO RECOGÍ... MIRAD, AQUÍ LO TENGO...

A VER... ¿CUÁLES SON LAS ÚLTIMAS LLAMADAS...? A QUIÉN HAN LLAMADO, QUIÉN LES HA LLAMADO... Y LOS SMS... ¡ALGUNA PISTA!

MIRAD LO QUE DICE AQUÍ...

LLEGAN D COLOMBIA VÍA MARRUECOS MARTES 10000 HELADOS. JUEVES 19H HELA2

EL PADRE DE ÁLVARO TIENE UNA FÁBRICA DE HELADOS: HELADOS GON. ¿NO LO SABÍAIS? ¡SON MUY BUENOS!

PERO... ¿HELADOS DE COLOMBIA VÍA MARRUECOS?

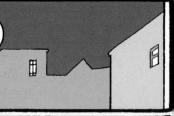

LO QUE HAY QUE HACER ES IR A DAR UNA VUELTA POR LA FÁBRICA. SON LAS 18.30 H Y HOY ES JUEVES... O SEA, QUE... ¿VAMOS?

¡A MÍ ME ENCANTAN LOS HELADOS!

ES AHÍ. MIRAD...

HELADOS GON

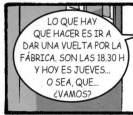

¡Y AHÍ ESTÁ EL TODOTERRENO NEGRO!

SÍ, SON LOS MISMOS QUE SE LLEVARON A ÁLVARO.

MMMMM... ¿HAS VISTO CUÁNTOS HELADOS?

MIGUEL, LOS HELADOS TIENEN MUCHO AZÚCAR Y TÚ YA ESTÁS UN POCO GORDITO, ¿NO?

CALLAOS, QUE NOS VAN A OÍR.

HELADOS

¿QUIÉN ANDA AHÍ?

(CONTINUARÁ

1 Responde individualmente a este test sobre la vida sana.
Después de haber hecho el test, en parejas decidid si lleváis una vida sana.

I. Todos los días bebes...
a. más de tres litros de agua.
b. más de un litro de agua.
c. No bebes nada de agua porque no te gusta.

2. Comes comida prefabricada...
a. una vez a la semana.
b. más de tres veces a la semana.
c. todos los días.

3. Haces ejercicio...
a. una hora al día.
b. unas tres horas a la semana.
c. menos de tres horas a la semana.

4. Al colegio...
a. siempre vas en coche.
b. a veces vas en bicicleta o andando.
c. nunca vas en coche.

5. Duermes...
a. más de ocho horas.
b. unas ocho horas.
c. menos de ocho horas.

6. Todos los días estás al aire libre...
a. más de dos horas.
b. unas dos horas.
c. por lo menos media hora.

7. Tomas bebidas con gas...
a. una vez a la semana.
b. más de tres veces a la semana.
c. todos los días.

8. Estás frente a una pantalla...
a. más de tres horas al día.
b. unas tres horas.
c. menos de tres horas.

9. Llevas tu material escolar...
a. en una mochila colocada en la parte alta de la espalda.
b. en una mochila colocada en la parte baja de la espalda.
c. en una bolsa colgada de un hombro.

10. Tomas chuches o chocolate...
a. todos los días.
b. dos o tres veces por semana.
c. una vez a la semana.

11. La medicina natural...
a. es la única para mí.
b. la utilizo para algunas enfermedades.
c. no la utilizo.

2 Ahora, en grupos, vais a confeccionar un folleto sobre vida sana. Debe constar de las siguientes partes:

1. Una portada con dibujos o imágenes.
2. Siete recomendaciones para una buena nutrición.
3. Un ejemplo de un menú equilibrado y sano para una semana (desayuno, comida y cena).
4. Una encuesta con cinco preguntas sobre vida sana. Después, la haremos a la clase y pondremos los resultados en un gráfico con colores. Aquí tienes dos preguntas de modelo:

¿Cuál es el deporte favorito de la clase?
¿Cuántas horas a la semana se practica este deporte?

5. Un pequeño artículo sobre "la imagen ideal" para los jóvenes. ¿Qué se considera imagen ideal? ¿Cuáles son las razones? ¿Cuáles son los peligros? ¿Cómo ha sido a lo largo de la historia la imagen ideal? Recuerda que un texto no es sólo una sucesión de frases: piensa en la estructura, conecta las diferentes partes, etc. Puedes consultar los textos y los conectores de las páginas 56 y 57 de esta unidad.

Vida Sana

El DOSSIER de la CLASE

DEBATE TELEVISIVO

Ahora vamos a realizar un debate televisivo con diferentes roles. Cada uno puede elegir uno de los que hay en la parte inferior de la página o puede inventar otro. Intentad que tengan distintos puntos de vista.

....

TAREA

A Lee la carta. ¿Qué crees que le ha pasado a la amiga de Eva? ¿Conoces alguna historia parecida? Coméntalo con tus compañeros.

B Vamos a realizar el debate. Tiene que haber un/a moderador/a que animará el debate a partir de las siguientes preguntas u otras.

- ¿Creen ustedes que se debe prohibir el consumo de tabaco como se hace con otras drogas? ¿Por qué?
- ¿Cuál es en su opinión la droga más utilizada entre los chicos jóvenes? ¿Por qué?
- ¿Cómo se puede prevenir la drogodependencia?
- ¿Cómo puede explicar que unas personas se enganchen a las drogas y que otras no? ¿Por qué se empieza con las drogas?
- ¿Quién tiene la culpa del consumo de drogas?
- ¿Creen que el deporte puede prevenir el consumo de drogas?

C Cada uno tiene que:

- decidir a qué personaje representa, quién es y cómo es,
- pensar qué ideas puede tener el personaje respecto a cada pregunta,
- preparar las opiniones de su personaje en un borrador en español.

NECESITAMOS...
- Algún objeto para caracterizar a nuestro personaje
- Si podemos, una cámara para filmar el debate

Querida amiga:

Hoy he hablado con tus padres. Ellos te extrañan mucho. Ya ha pasado año y medio y todavía nadie puede creer que ya no estás aquí. ¡Cómo me gustaría retroceder en el tiempo!

¿Sabes? Tu hermana ya fue a la universidad. Quería ir a los Estados Unidos para estudiar pero como tú no estás, se quedó aquí para estar cerca de tus padres y de tu hermanito. Él todavía no comprende nada de lo que ha pasado. Pero bueno, sólo tiene 7 años.

¿Yo tampoco lo comprendo completamente. Bueno, claro que comprendo lo que ha pasado pero no lo creo... Cada día me despierto y espero verte en el colegio. Cuando llego y no te veo... Recuerdo lo que ha pasado y el resto del día es un infierno para mí. ¿Qué pensábamos? ¿Que todo era un juego? ¿Que éramos las heroínas invencibles de una película con final feliz? Nos habían hablado tanto del tema en el colegio... ¿Cómo no nos dimos cuenta de lo que nos podía pasar? ¡Cómo pudimos ser tan imbéciles! No creo que haya nada peor que esto.

¿Bueno, te gustará saber que yo he dejado incluso el tabaco. ¿Te recuerdo todos los días y te extraño mucho. ¡Que duermas bien!

¿Tu amiga para siempre,

EVA

Un/a chico/a que ha sido drogadicto/a durante varios años pero que ha podido rehabilitarse.

El/La novio/a de un/a chico/a que tuvo un accidente de coche bajo la influencia del alcohol.

Un/a chico/a que fuma y bebe con moderación y piensa que lo tiene controlado.

Un/a deportista muy famoso/a.

Un/a médico que trabaja en un centro de toxicómanos.

Una persona que trabaja en un centro de rehabilitación.

El/La jefe/a de una fábrica de vodka.

Un/a policía que trabaja en uno de los barrios de más consumo de drogas.

Un/a político/a conservador/a.

Un/a profesor/a de enseñanza secundaria.

5 Nosotros, los jóvenes

En esta unidad vamos a:

Preparar un pequeño discurso con nuestras opiniones sobre los problemas sociales que más nos preocupan.

Para ello vamos a aprender:

■ a hablar de derechos

■ a expresar y a debatir puntos de vista: **yo pienso / opino / creo/**...

■ a valorar situaciones: **es injusto / horrible / muy triste /**... **que** + Subjuntivo

■ a exponer un problema y sus causas

■ a expresar obligación y prohibición: **deber / no deber** + Infinitivo

■ a proponer soluciones: **tendrían que / habría que** + Infinitivo, **debería/as/a**... + Infinitivo

■ **muy / mucho/a/os/as, tan / tanto/a/os/as**

■ algunas frases relativas con Subjuntivo

■ a expresar causa: **por qué, porque**

■ a referirnos a la finalidad: **¿para qué?, para que**...

1. LOS DERECHOS DEL NIÑO

Convención sobre los Derechos del Niño

La **Convención sobre los Derechos del Niño** describe los derechos fundamentales de los niños y de los adolescentes. Se entiende por niño todo ser humano desde su nacimiento hasta los 18 años. Se aprobó el 20 de noviembre de 1989 y 191 países la han firmado. La Convención describe sus derechos en 54 artículos. Aquí tienes un resumen de algunos.

¡Tenemos derecho a opinar!

¡Y a jugar!

¡Todos y todas!

Derecho a un nombre y a una nacionalidad
Todo niño tiene derecho a un nombre desde su nacimiento y a obtener una nacionalidad.

Derecho a vivir con sus padres
Todo niño tiene derecho a vivir con sus padres, excepto cuando la separación es necesaria para el interés del propio niño.

Derecho a opinar
El niño tiene derecho a expresar su opinión en todos los asuntos que le afectan.

Derecho a la libertad de pensamiento
El niño tiene derecho a la libertad de pensamiento, de conciencia y de religión.

Derecho a la protección contra los malos tratos
El Estado debe proteger a los niños de todas las formas de malos tratos.

Derecho a la salud y servicios médicos
Los niños tienen derecho a disfrutar del más alto nivel posible de salud y de los servicios médicos.

Derecho a la educación
Todo niño tiene derecho a la educación gratuita y obligatoria.

Derecho a la propia cultura
Los niños que pertenecen a minorías o a poblaciones indígenas tienen derecho a vivir en su propia cultura, a practicar su propia religión y a usar su propio idioma.

Derecho a tener tiempo y lugar para jugar y descansar
El niño tiene derecho al juego y a participar en las actividades artísticas y culturales.

Derecho a la paz
Ningún niño menor de 15 años debe participar directamente en la guerra. Todos los niños afectados por conflictos armados tienen derecho a recibir protección y cuidados especiales.

A Cada uno de vosotros elige uno de los derechos. Lo copia en una hoja y dibuja un logotipo, un símbolo gráfico, que lo represente. Con las hojas podemos hacer carteles y exponerlos en la clase.

B ¿Crees que estos derechos siempre se respetan? Con un compañero, leedlos de nuevo y pensad si conocéis casos en los que no se respetan, en vuestro país o en otros países. Después, contadlo a la clase. Podéis usar:

> Creo que algunos niños...
> bastantes niños...
> muchos niños...
> muchísimos niños...
> la mayoría de los niños...
> no todos los niños...

C ¿Se os ocurre algún otro derecho del niño? Tratad de formularlo por escrito.

D Entre todos, ¿podéis escribir algunos "derechos del alumno"? ¿Y algunos "derechos del profesor"?

2. BUENAS Y MALAS NOTICIAS

A Lee estos recortes de periódicos. ¿Con qué derechos del niño tienen relación?

CONCIERTO "PRINCIPALES SOLIDARIOS, TODOS CONTRA EL HAMBRE EN ÁFRICA"

El pasado sábado, 17 de diciembre, unas 15 000 personas asistieron al concierto "Principales Solidarios, todos contra el hambre en África" que organizaba la emisora de radio 40 Principales, en beneficio de las organizaciones Acción contra el Hambre y Save the Children. Los fondos recaudados se destinarán íntegramente a los proyectos que Acción contra el Hambre está llevando a cabo en Níger a consecuencia de la grave crisis nutricional que se vive en ese país. ■

Nuevas vacunas disponibles

En un futuro próximo habrá nuevas vacunas disponibles. Los progresos científicos y tecnológicos hacen pensar que en los próximos cinco a siete años existirán vacunas contra determinados tipos de diarrea y de neumonía. También se están investigando vacunas contra el VIH (SIDA) y contra el paludismo, y se están desarrollando vacunas reforzadas contra la tuberculosis. ■

EL ACCESO AL AGUA POTABLE HA MEJORADO EN TODO EL MUNDO

En los últimos cinco años ha aumentado de forma considerable el acceso a fuentes de suministro de agua potable. Sin embargo, aún hay más de 1000 millones de personas, la mayoría en zonas rurales y en suburbios urbanos, que todavía no disponen de agua potable. ■

México mejora en educación preescolar

Según datos de la UNESCO, México encabeza la lista de los nueve países en desarrollo más poblados del mundo con el mayor índice de niños de más de tres años que cursan la educación preescolar, al sumar el 76 % de su población infantil. ■

Huérfanos del SIDA

Save the Children, el movimiento independiente internacional de ayuda a la infancia más grande del mundo, calcula que en la próxima década el SIDA (VIH) dejará huérfanos a unos 40 millones de niños. ■

B ¿Cuáles son buenas noticias y cuáles son malas noticias?

● *Yo pienso que lo del agua potable es una buena noticia.*

C ¿Cuáles de estas realidades os parecen injustas? Con un compañero formulad vuestras opiniones.

● *A nosotros nos parece muy injusto que haya gente sin agua potable en el mundo.*

D Ahora escucha estas noticias de la radio. ¿De qué tratan? ¿Son buenas o malas noticias? ¿Tú qué opinas?

E ¿Has escuchado las noticias estos últimos días? ¿Recuerdas alguna noticia importante o que te haya llamado la atención? Explícasela a tus compañeros.

● *Yo he visto en la tele lo de los terremotos...*

DEBER / NO DEBER

DEBER + INFINITIVO
El Estado **debe proteger** a los niños.

NO DEBER + INFINITIVO
El Estado **no debe gastar** dinero en armas.

LO DE

LO DE + TEMA CONOCIDO O YA MENCIONADO
Lo de las vacunas es muy importante.
No entiendo **lo de** México.
Lo del agua es una buena noticia.

¿Has leído lo de los gastos militares?

Sí, es increíble, ¿no?

VALORAR

Es injusto	
Es horrible	**que** + PRESENTE DE
Es una vergüenza	SUBJUNTIVO
Es...	

Está bien	
Es estupendo	
Es bueno	**que** + PRESENTE DE
Es una buena noticia	SUBJUNTIVO
Es...	

MUY / MUCHO/A/OS/AS, TAN / TANTO/A/OS/AS

● Es **muy** necesario que los gobiernos inviertan en investigación espacial.
○ Para mí no es **tan** necesario. Es más necesario que inviertan en medioambiente.

● Los gobiernos gastan **mucho** dinero en armas.
○ Sí es verdad, es horrible que gasten **tanto**.

● En el cole hay **muchas** chicas, más de cien.
○ ¿**Tantas**?

● La ortografía es **muy** importante.
○ Bueno..., para mí **no tanto**. Para mí es más importante hablar bien.

muy	→	tan
mucho	→	tanto
mucha	→	tanta
muchos	→	tantos
muchas	→	tantas

3. ¡NO A LA GUERRA!

1 ¡No a las drogas!

2 STOP A LA MATANZA DE FOCAS

3 NO MÁS NEGOCIO DE ARMAS

4 MÁS ENERGÍA LIMPIA Y MENOS HUMOS

5 ♂ = ♀ HOMBRES Y MUJERES, MISMOS DERECHOS, MISMOS SALARIOS

6 NO MÁS MINAS ANTIPERSONA

13 ¡TOROS NO! ¡NO A LA TORTURA COMO DIVERSIÓN!

12 ¡No más agresiones RACISTAS!

11 + 🌳 − 🚗 MÁS PARQUES Y MENOS COCHES

10 ¡PENA DE MUERTE, NO!

9 TODOS JUNTOS CONTRA LA GUERRA

8 ESCUELA PÚBLICA Y GRATUITA PARA TODOS ¡YA!

7 NO AL COMERCIO DE ANIMALES EXÓTICOS

A Mira los eslóganes. ¿A cuál de estos de problemas se refieren?

GUERRAS

PROBLEMAS ECOLÓGICOS

DERECHOS DE LOS ANIMALES

DERECHOS HUMANOS

PROBLEMAS SOCIALES

DISCRIMINACIÓN

B ¿Por qué y para qué se manifiestan? Elige tres eslóganes e interprétalos escribiendo en tu cuaderno el porqué y el para qué, como en la pizarra.

NO AL COMERCIO DE ANIMALES EXÓTICOS	
¿Por qué?	¿Para qué?
Porque hay especies que están en peligro y se cazan ilegalmente.	Es para que no desaparezcan especies protegidas.

4. DE TUCUMÁN A BUENOS AIRES

Marcha por la Vida de Los Chicos del Pueblo

Del 20 de junio al 1 de julio de este año se realizó en Argentina una nueva "Marcha por la Vida", organizada por el Movimiento Nacional de los Chicos del Pueblo: 300 niños recorrieron más de 2000 km.

Primero queremos decirles quiénes somos: somos niños. Somos personas, somos humanos, somos los villeros, somos los negritos. Somos la voz de los otros chicos que no pueden marchar. Somos argentinos.

¡¡¡Argentina!!! Estamos acá para marchar por la vida, para defender nuestros derechos, para cantar, para hablar, para gritar, para explicar, para juntar los pedacitos de nuestros sueños y armar un gran rompecabezas.

Nosotros, los chicos del pueblo, queremos decirle basta ya al hambre.
¡EL HAMBRE ES UN CRIMEN!
Aluminé, de General Rodríguez, 14 años

Para los que no saben por qué marchamos les queremos contar que el 20 de junio salimos de Tucumán porque ya no aguantamos ver más a las mamás y a los papás juntando cosas en la calle.

No queremos ver más amiguitos y hermanitos sin zapatillas, a nuestras familias con hambre porque no tienen trabajo. No queremos más muertes por desnutrición.

Porque no nos gusta que nos cuenten el cuentito de que el país es pobre. Recorrimos las rutas y vimos que nuestro país es rico. Hay que repartir mejor.
¡ESTO NO VA MÁS! ¡BASTA YA!
Julio, de Villa Fiorito, 12 años

Nosotros, los chicos, queremos que nuestros padres tengan trabajo, porque trabajo hay.
El gobierno tendría que poner toda la plata necesaria para abrir las fábricas y cultivar los campos, así nuestros papás tendrían trabajo para poder comprar comida y poder comer en nuestras casas y no en comedores, como la mayoría de los pibes lo hacen.

Si los poderosos nos devuelven nuestra plata, podríamos tener pan calentito para compartir con nuestras familias.

A todos les decimos que para que nuestros sueños sean realidad, lo primero que necesitamos es que nuestros papás ¡TENGAN TRABAJO!
Laura, de Lomas de Zamora, 13 años

---

5 la **chuleta** de **gramática**

¿POR QUÉ? / ¿PARA QUÉ?

CAUSA
¿**Por qué** están de huelga?
Porque no les **pagan**. INDICATIVO

FINALIDAD
¿**Para qué** están de huelga?
Para que les **paguen**. SUBJUNTIVO
Para cobrar. INFINITIVO

A FAVOR / EN CONTRA

● ¿**Estáis a favor o en contra de** los toros?
○ **Yo estoy a favor**.
■ **Yo, en contra**.

RELATIVAS: INDICATIVO / SUBJUNTIVO

Tienen **un colegio donde** / **en el que** **pueden** estudiar.
————— INDICATIVO

Piden **un colegio donde** / **en el que** **puedan** estudiar.
————— SUBJUNTIVO

Tienen **un trabajo que** les **permite** vivir.
— INDICATIVO

Necesitan **un trabajo que** les **permita** vivir.
— SUBJUNTIVO

A ¿Qué sabes de Argentina? ¿Sabes si es un país rico o pobre? ¿Cuáles son los problemas más importantes por los que han organizado la Marcha? Con un compañero haz una lista.

🎧 **B** Ahora escucha a Cristian, un chico de 13 años de Tucumán. ¿Con qué sueñan él y los otros chicos de la Marcha? Anota el máximo de "sueños" de los que menciona en su discurso.

● Sueña con tener una casa y...

5. EN NUESTRO PAÍS...

A Escucha a estas chicas que hablan sobre los problemas de sus países. Copia el cuadro en tu cuaderno y complétalo.

1 Berenice

2 Eva

3 Patricia

	PAÍS DE ORIGEN	PROBLEMAS PRINCIPALES	POSIBLES SOLUCIONES
BERENICE	– – – – – – –	– – – – – – – –	– – – – – – –
EVA	– – – – – – –	– – – – – – – –	– – – – – – –
PATRICIA	– – – – – – –	– – – – – – – –	– – – – – – –

B Éstos son algunos de los problemas que pueden darse en una región o en un país. ¿Crees que existen en el lugar en el que vives? Primero, léelos individualmente. Luego, ponte de acuerdo con dos compañeros.

1 Las mujeres están discriminadas: tienen menos derechos y ganan menos por el mismo trabajo. ...... **SÍ** **NO**

2 Hay niños que trabajan. .... **SÍ** **NO**

3 Hay poca vida familiar, los padres no tienen tiempo para estar con los hijos. .... **SÍ** **NO**

4 Hay muchos jóvenes que tienen problemas con las drogas. .... **SÍ** **NO**

5 El gobierno gasta poco en educación. .... **SÍ** **NO**

6 Hay mucha gente sin trabajo. .... **SÍ** **NO**

7 Hay muchas familias que no tienen suficiente dinero para vivir. .... **SÍ** **NO**

8 Hay personas discriminadas por su raza o por su cultura. .... **SÍ** **NO**

● ¿Vosotros pensáis que aquí las mujeres están muy discriminadas?
○ No, no tanto; creo yo.
■ Pues yo opino que sí, mucho... Hay muchas mujeres sin trabajo.

C Elegid tres problemas que creéis que existen en vuestra ciudad o región. ¿Qué se puede hacer? Pensad en varias soluciones.

● Nosotros creemos que el ayuntamiento debería construir más guarderías porque...

6. PEQUEÑOS TRUCOS PARA UN MUNDO MEJOR

A Lee estas recomendaciones. ¿Cuáles son para ti las cinco más importantes? ¿Hay alguna con la que no estás de acuerdo?

L as relaciones entre los pueblos y las personas y la conservación del medioambiente son probablemente los mayores problemas que se plantea la Humanidad en la actualidad. A continuación, tienes 22 recomendaciones, no tan difíciles de aplicar, que nos ayudarán a contribuir, cotidianamente, a la construcción de un mundo más solidario, más justo y más sostenible.

PARA QUE CAMBIE EL MUNDO, HEMOS DE EMPEZAR POR CAMBIAR NOSOTROS

1 Antes de comprar un producto, pregúntate si realmente lo necesitas. Cualquier consumo innecesario es antiecológico.

2 No te dejes manipular por la publicidad. Mira las cualidades de los productos, y no los sueños que te venden en los anuncios.

3 Antes de tirar cualquier cosa a la basura, piensa si se puede reutilizar, reciclar o reparar, o si puede ser útil para otra persona. Hay muchas organizaciones que saben quién necesita lo que tú no quieres.

4 No compres latas de bebidas, vale más el envase que su contenido y apenas se recuperan. La energía necesaria para producir y transportar una lata equivale a la mitad del bote lleno de petróleo.

5 Aprovecha bien el papel: úsalo por las dos caras, utilízalo reciclado y envíalo después a reciclar.

6 En la alimentación, evita la comida basura o precocinada, que suele contener muchos aditivos y conservantes. Procura consumir alimentos frescos, de temporada y de producción local.

7 Cuando salgas al campo, o cuando vayas al mar, respeta la naturaleza. ¡No tires nada por ahí!

8 Si puedes, ve al cole en bici.

9 Es absurdo estar en manga corta durante el invierno por un exceso de calefacción. Sólo sirve para gastar energía. Es preferible ponerse un jersey.

10 En el jardín, en el cole, en el campo... planta un árbol.

11 Si en tu ciudad hay, compra en las tiendas de Comercio Justo.

12 No compres productos de empresas que no respetan los derechos humanos y que usan mano de obra infantil.

13 No aceptes la publicidad sexista. Rechaza los productos que se venden con imágenes de mujeres-objeto.

14 Seguro que hay personas ancianas a tu alrededor. No olvides que en muchas situaciones cotidianas necesitan la ayuda de un joven.

15 Lee cosas sobre otras culturas. Te ayudará a comprender mejor a los extranjeros que viven cerca de ti.

16 No discrimines a nadie por su aspecto. ¡Lo importante no se ve!

17 Cuando tengas un problema con alguien, trata siempre de dialogar. La comunicación es siempre el mejor camino.

18 No pienses que todo se compra y se vende. ¡Las cosas más importantes en la vida (la salud, el amor, la amistad...) no están en venta!

19 Si viajas, trata de entender las costumbres del país donde te reciben de vacaciones. No critiques las costumbres sin conocerlas.

20 Infórmate sobre lo que pasa en el mundo. Todo tiene algo que ver contigo en la era de la globalización.

21 Estudia idiomas: te ayudará a ver el mundo con los ojos de otras culturas.

22 Y por último: ¡no digas nunca "yo no puedo hacer nada"!

PROPONER SOLUCIONES

CON SUJETO PERSONAL

El gobierno **debería** construir más centros sanitarios y más escuelas, **en lugar de** gastar tanto en armas.

Deberíamos estudiar más idiomas.

IMPERSONAL

Habría que
Se debería estudiar más idiomas.

HAY MUCHA GENTE QUE...

Hay mucha gente que se preocupa por el medioambiente.
Hay muchos jóvenes que leen muy poco.
Hay muchas personas que colaboran con una ONG.

B ¿Cuántas de estas cosas ya haces? ¿Cuáles deberías hacer?

● *Yo debería gastar menos papel y reciclarlo.*

C Termina estas frases con ideas sacadas de las recomendaciones. Luego pondremos todas nuestras ideas en común.

En lugar de comprar latas, deberíamos...
En lugar de fijarnos en el exterior de la gente, ...
En lugar de consumir como locos, ...
En lugar de ir en coche a todas partes,...
En lugar de pensar que lo nuestro es lo único y lo mejor, ...

D Reúnete ahora con un compañero y añadid dos recomendaciones más.

LA REVISTA LOCA

IGUALDAD y ECOLOGÍA: COMERCIO JUSTO

El Comercio Justo no es una ayuda a los países pobres, es una forma de intercambio justo. Consumir productos de Comercio Justo es luchar contra las desigualdades

OFERTA

¿QUIÉN HACE LOS PRODUCTOS QUE COMPRAMOS?

Todos compramos y vendemos cosas. ¿Nos hemos preguntado alguna vez qué y quién hay detrás de la tableta de chocolate, del paquete de azúcar, de las zapatillas deportivas o de la camiseta de algodón que compramos?

La respuesta no es muy agradable. Estos productos han sido producidos, envasados o fabricados en países del Cono Sur, que son países de producción agrícola y que están poco desarrollados tecnológicamente. Los productos han sido cultivados, recolectados y cosidos por personas, entre ellos niños y niñas, que han trabajado en condiciones y horarios agotadores, y que cobran un sueldo insuficiente para tener una vida digna. Además, han sido producidos en fábricas o en explotaciones agrícolas que no respetan el medioambiente, que contaminan, deforestan, utilizan sustancias químicas y destrozan las tierras en las que están situadas.

¿Y todo esto por qué? Pues porque la mayoría de productos que son la base del comercio Norte-Sur está en manos de grandes fabricantes del Norte que quieren ganar mucho dinero en el menor tiempo posible, sin tener en cuenta los daños que provocan a los derechos de las personas ni al medioambiente. La consecuencia es que las diferencias entre los países del Norte y los del Sur aumentan en vez de disminuir; en los países del Sur cada vez hay más pobreza y más degradación ecológica.

CAMBIAR EL COMERCIO, CAMBIAR EL MUNDO

Para intentar frenar este proceso, y para denunciarlo, hace unos años surgió el movimiento del Comercio Justo. Su objetivo es cambiar las reglas de juego del comercio internacional: tratan de crear nuevas formas de intercambio comercial justas, equitativas y respetuosas con el medioambiente.

El Comercio Justo agrupa un colectivo cada vez más importante de cooperativas y tiendas en todos los continentes que tienen en común los siguientes principios:

 Pagar a las personas que producen y fabrican los productos unos salarios justos que les permitan tener una vida digna.

 Pagar el mismo sueldo a los hombres y a las mujeres.

 Respetar los derechos de los niños y las niñas a su educación. No admitir niños ni niñas como trabajadores.

 No usar productos contaminantes.

 Respetar la tierra, los bosques, los ríos. No utilizar semillas transgénicas.

somos diferentes, somos iguales

- Si la democracia viene de los griegos, el cristianismo, de los judíos, y la técnica de meditación, de Oriente...

- Si las cifras que sumamos son árabes, las letras que escribimos, latinas y la imprescindible rueda es persa...

- Si Asia entregó el arroz, los países mediterráneos, el trigo, y América, el maíz...

- Si muchos ritmos que bailamos son africanos... la no violencia que más inspira es india... y el universal villancico "Noche de Paz" es germánico...

- Si la raza humana es de todas las personas de esta tierra... ¿por qué no luchar para que todas las culturas dialoguen y aporten en la construcción de un mundo en justicia y en paz?

Fuente: *Agenda Latinoamericana Mundial*

CANCIONES PARA PROTESTAR Y RESISTIR

La canción como forma de protesta social es un fenómeno que podemos encontrar en todas las culturas y en muchísimos países del mundo. En los países de Latinoamérica, el movimiento de los cantautores comprometidos ideológicamente tuvo su momento de mayor apogeo entre los años sesenta y setenta y tiene continuidad en jóvenes artistas actuales que incorporan nuevos ritmos y nuevos temas al repertorio clásico.

Las canciones de este movimiento llamado "Nueva canción latinoamericana" son el resultado de dos energías: la poesía y el deseo de cambiar el mundo. En este momento forman parte de la memoria colectiva de los pueblos que las inspiraron y, superando fronteras, acompañan poética y musicalmente las luchas por una sociedad más justa.

🎧 Sólo le pido a Dios
Letra y música: León Gieco

Sólo le pido a Dios
que el dolor no me sea indiferente,
que la reseca muerte no me encuentre
vacío y solo sin haber hecho lo suficiente.

Sólo le pido a Dios
que lo injusto no me sea indiferente,
que no me abofeteen la otra mejilla
después que una garra me arañó esta suerte.

Sólo le pido a Dios
que la guerra no me sea indiferente,
es un monstruo grande y pisa fuerte
toda la pobre inocencia de la gente.

Sólo le pido a Dios
que el engaño no me sea indiferente
si un traidor puede más que unos cuantos,
que esos cuantos no lo olviden fácilmente.

Sólo le pido a Dios
que el futuro no me sea indiferente,
desahuciado está el que tiene que marchar
a vivir una cultura diferente.

> ¿Y tú? ¿Qué le pides a Dios, a la vida o al futuro?
> Con un compañero imagina una estrofa más.

Algunos nombres

Argentina: León Gieco, Alberto Cortez, Mercedes Sosa

Cuba: Pablo Milanés, Silvio Rodríguez, Amauri Pérez

Chile: Violeta Parra, Víctor Jara

Guatemala: Ricardo Arjona

Nicaragua: Carlos Mejía Godoy

Uruguay: Daniel Viglietti

LA PEÑA del GARAJE

EN LA FÁBRICA   CAP. 6

LOS CHICOS ESTÁN MUY ASUSTADOS. ESOS TIPOS DEL TODOTERRENO Y DE LAS MOTOS PARECEN PELIGROSOS Y CASI LOS DESCUBREN. ESCONDIDOS DETRÁS DE UNO DE LOS CAMIONES DE LA EMPRESA DE HELADOS, NUESTROS AMIGOS DISCUTEN QUÉ PUEDEN HACER AHORA. Y NO SE PONEN DE ACUERDO. UNOS QUIEREN ENTRAR A VER QUÉ PASA DENTRO DE LA FÁBRICA. OTROS OPINAN QUE ES MEJOR AVISAR A LA POLICÍA O HABLAR CON SUS PADRES.

PUES YO PIENSO QUE ES UNA LOCURA ENTRAR.

DEBERÍAMOS LLAMAR A LA POLICÍA.

A MÍ ME PARECE MUY MAL IRNOS A CASA TAN TRANQUILOS SIN HACER NADA... DEBERÍAMOS SEGUIR INVESTIGANDO.

DE PRONTO ENTRA EN ESCENA ¡EL PADRE DE ÁLVARO! LOS CHICOS INTENTAN ESCUCHAR...

¿YA ESTÁ TODO PREPARADO? LOS HELADOS TIENEN QUE SALIR HOY HACIA LA CORUÑA.

NO TAN DEPRISA. PRIMERO DEBERÍAMOS HABLAR DE MI HIJO, ¿NO? TENDRÉIS LOS HELADOS CUANDO ÁLVARO ESTÉ AQUÍ, A MI LADO...

LAS CAJAS CON LOS 10000 HELADOS ESTÁN EN ESE CAMIÓN. Y LA DROGA ESTÁ DENTRO DE ESTOS CUCURUCHOS...

O SEA, QUE YO YA HE CUMPLIDO CON EL TRATO. PERO AHORA QUIERO A MI HIJO.

DE PRONTO PASA ALGO HORRIBLE...

¡ACHUUUUUUUUUUUUUM...!

¿QUIÉN ANDA AHÍ? GONZÁLEZ, SI HAS AVISADO A LA POLI, DESPÍDETE DE TU HIJITO..

VAMOS, CHICOS, CORRAMOS... POR ESA VENTANA.

CÓMO MOLA. KILOS Y KILOS DE HELADOS... DE FRESA, DE CHOCOLATE, DE NATA...

¿CÓMO PUEDES PENSAR EN HELADOS AHORA, MIGUEL...?

¿CHICO, ADÓNDE VAS TAN DEPRISA?

¡DEBERÍA USTED PROBAR ESTE CHOCOLATE TAN BUENO!!!!

(CONTINUARÁ)

Lee este manifiesto que han firmado un grupo
de Premios Nobel. ¿Lo firmarías? ¿Por qué?

Los 6 puntos claves del Manifiesto

¿Y si el nuevo milenio fuera un nuevo comienzo,
la ocasión de transformar –juntos– la cultura de guerra
y violencia en una **cultura de paz y** de **no violencia**?

**Son los seis puntos del Manifiesto 2000 ya firmado
por los Premios Nobel de la Paz. Usted también puede firmarlo.**

Porque el año 2000 debe ser un nuevo
comienzo para todos nosotros. Juntos
podemos transformar la cultura de guerra
y de violencia en una cultura de paz y de
no violencia.

Porque esta evolución exige la participación
de cada uno de nosotros y ofrece a los jóvenes
y a las generaciones futuras valores que les
ayuden a forjar un mundo más justo, más
solidario, más libre, digno y armonioso,
y más próspero para todos.

Porque la cultura de paz hace posible
el desarrollo duradero, la protección del
medioambiente y la satisfacción personal
de cada ser humano.

Porque soy consciente de mi parte de
responsabilidad ante el futuro de la
humanidad, especialmente para los niños
de hoy y de mañana.

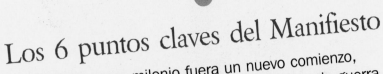

Me comprometo en mi vida cotidiana, en mi familia, en mi trabajo, en mi comunidad,
en mi país y en mi región a:

respetar la vida y la dignidad de cada persona, sin discriminación ni prejuicios;

practicar la no violencia activa, rechazando la violencia en todas sus formas: física,
sexual, psicológica, económica y social, en particular hacia los más débiles y
vulnerables, como los niños y los adolescentes;

compartir mi tiempo y mis recursos materiales, cultivando la generosidad para
terminar con la exclusión, la injusticia y la opresión política y económica;

defender la libertad de expresión y la diversidad cultural, privilegiando
siempre la escucha y el diálogo, sin ceder al fanatismo, ni a la maledicencia y al
rechazo del prójimo;

promover un consumo responsable y un modo de desarrollo que tenga en cuenta
la importancia de todas las formas de vida y el equilibrio de los recursos naturales del
planeta;

contribuir al desarrollo de mi comunidad, propiciando la plena participación de las
mujeres y el respeto de los principios democráticos, con el fin de crear juntos nuevas
formas de solidaridad.

El **Manifiesto 2000 para una cultura de paz y de no violencia**, creado por un
grupo de Premios Nobel, traduce las resoluciones de las Naciones Unidas en el idioma
cotidiano para hacerlo accesible al mayor número de personas.
El **Manifiesto 2000** no es un llamamiento, ni una petición dirigida a instancias
superiores; se trata de un compromiso que empieza a nivel individual.

NUESTRA DECLARACIÓN

Ahora nosotros vamos a redactar un pequeño manifiesto para mandarlo a las Naciones Unidas.

·······························

TAREA

1 En pequeños grupos decidimos cuáles son los tres problemas más graves que tiene nuestro mundo actual.

- las guerras
- el comercio de armas
- el hambre
- la corrupción de los políticos
- el agua
- las drogas
- el medioambiente
- la desigualdad entre los países ricos y los pobres
- la energía
- el racismo
- la violencia
- el paro
- ...

2 Explicaremos en qué consiste cada problema y cuáles son sus causas o cómo lo entendemos nosotros.

3 Daremos también sugerencias para solucionarlo o para mejorarlo.

4 Escribimos el discurso, nos repartimos sus partes y lo ensayamos.

5 Cuando lo tengamos muy bien ensayado, lo leeremos ante toda la clase.

6 Los demás compañeros podrán hacernos preguntas.

6

Poesía eres tú

En esta unidad vamos a:
Escribir varios poemas y a hacer un libro de poesía.

Para ello vamos a:

- trabajar con poesía (rima, imágenes, figuras retóricas...)
- aprender poemas en español
- aprender cosas sobre poetas del mundo hispano
- leer, a recitar y a reconstruir poemas
- explicar nuestras emociones y nuestros gustos
- comparar
- evocar sensaciones y recuerdos
- algunas reglas de acentuación: la tilde diacrítica y los diptongos
- aprender el Imperfecto de Subjuntivo

1. LA POESÍA Y TÚ

¿Qué piensas sobre la poesía? Copia en tu cuaderno las frases de esta lista que reflejan tus experiencias. Luego habla con tu compañero, encontrad vuestras diferencias y explicádselo al resto de la clase.

- A mí no me gusta nada.
- Yo pienso que la poesía es cursi.
- Para mí, escribir poesía es muy difícil.
- Yo no la entiendo.
- A mí no me dice nada.
- Yo nunca he escrito un poema.
- Yo a veces escribo poesía.
- Alguna vez alguien me ha enviado un poema.
- La poesía sólo trata de tres temas: el amor, la vida y la muerte.
- Yo conozco una poesía de memoria en mi idioma.
- Hay poesías que me gustan mucho.
- Las poesías me ayudan cuando estoy triste.
- A veces las poesías expresan lo que yo no sé expresar.
- A mí me apasiona leer y escribir poesías.

● *Ella piensa que la poesía es muy difícil de entender y yo pienso que, a veces, la poesía expresa lo que yo no sé expresar...*

2. ¿QUÉ ES POESÍA?

A Relaciona los textos que hablan del mismo tema.

B Seis de estos textos son fragmentos de poesías españolas. ¿Cuáles? Habla con tu compañero y decidid cuáles son.

● *Yo creo que el texto 2 es una poesía.*
○ *No sé... ¿Seguro?*
● *Yo creo que sí.*

C ¿Por qué crees que estos textos son poemas?

- Porque tienen palabras más difíciles.
- Porque hay palabras que se repiten.
- Porque las palabras terminan igual.
- Porque las frases tienen un ritmo.
- Porque las palabras son más bonitas.
- Porque las palabras están dispuestas en líneas cortas, unas debajo de otras.
- Porque tienen palabras que sorprenden, que no te esperas.
  ...

D ¿Qué texto te ha gustado más? Copia en tu cuaderno las palabras o las frases que te hayan gustado más.

①

Córdoba, 29 de julio de 1903

Pelea Mortal

Alertada por un denunciante anónimo, la Guardia Civil encontró el cadáver de un hombre con heridas de arma blanca, probablemente una navaja, en el fondo del barranco del río Guadajoz, cerca del camino que une las localidades de Ízcar y Castro del Río. El cadáver fue identificado como el de J. A. Gálvez, de 29 años, natural y vecino de la localidad cercana de Montilla. Algunos vecinos de Castro del Río han explicado a los reporteros de este periódico que el difunto fue herido mortalmente en el transcurso de una pelea entre él y otro joven causada por una rivalidad familiar. La pelea tuvo lugar en el paraje llamado El olivar de Encija, en presencia de varias mujeres y varios hombres, miembros de las dos familias, que llegaron montados a caballo desde los pueblos cercanos.

② ...Y MORIRÉ DE AMOR PORQUE TE QUIERO, PORQUE TE QUIERO, AMOR, A SANGRE Y FUEG...

③ Tengo miedo de verte necesidad de verte esperanza de verte desazones de verte.

④  El 20 de Julio de 1969, Neil Armstrong se convirtió en el primer hombre que pisó la Luna. Fue seguido por Edwin Aldrin, ambos pertenecientes a la misión Apollo 11. Los astronautas experimentaron la diferencia de la gravedad. La gravedad lunar es un sexto de la gravedad terrestre, es decir, un hombre que pese unos 82 kg en la Tierra, pesará sólo 14 kg en la Luna.

⑤
En la mitad del barranco
las navajas de Albacete,
bellas de sangre contraria,
relucen como los peces.
Una dura luz de naipe
recorta en el agrio verde,
caballos enfurecidos
y perfiles de jinetes.
En la copa de un olivo
lloran dos viejas mujeres.

El toro de la reyerta
se sube por la paredes.
Ángeles negros traían
pañuelos y agua de nieve.
Ángeles con grandes alas
de navajas de Albacete.
Juan Antonio el de Montilla
rueda muerto la pendiente,
su cuerpo lleno de lirios
y una granada en las sienes.

átomo. (Del lat. *atŏmum*, y este del gr. ἄτομον) m. *Fís.* y *Quím.* Cantidad menor de un elemento químico que tiene existencia propia y se consideró indivisible. Se compone de un núcleo, con protones y neutrones, y de electrones orbitales, en número característico para cada elemento químico. || 2. m. Partícula material de pequeñez extremada.

7

http://www.mensajeslocos.es

Mi AMOR

Hola mi amor ❤❤ te escribo para decirte lo feliz que me siento por haber encontrado la felicidad junto a ti. Estoy enamorado de ti 😊❤❤❤❤❤❤❤😊y no sabes cuánto, espero que me quieras cada día. Estoy feliz pero también tengo miedo de perderte y de que me dejes, porque dañarías mi vida 😢😢. Te quiero, te adoro 😊😊. Tengo miedo y soy feliz. Soy feliz y tengo miedo. ¡Qué lío!

8

TQM ❤
❤❤❤

9

Pequeñísima estrella, parecías para siempre enterrada en el metal: oculto, tu diabólico fuego.

HABLAR DE GUSTOS

(A mí) me encanta...
(A mí) me gusta mucho...
(A mí) me gusta bastante...
(A mí) mo me gusta demasiado...
(A mí) mo me gusta nada...
(Yo) odio...
(Yo) detesto...

● **A mí encanta** leer poemas.
○ Pues **a mí no me gusta demasiado**.
■ Pues **yo odio** la poesía.

ESPECULAR

● **(Yo) creo que** este texto es una poesía.
○ **No sé.**
  No creo.
  Es posible.
  Sí, seguro.
  Segurísimo.

RECLAMAR ATENCIÓN

Fíjate en que esta frase es muy rara.

10

La luna se puede tomar a cucharadas o como una cápsula cada dos horas. Es buena como hipnótico y sedante y también alivia a los que se han intoxicado de filosofía.
Un pedazo de luna en el bolsillo es mejor amuleto que la pata de conejo: sirve para encontrar a quien se ama, y para alejar a los médicos y las clínicas.
Se puede dar de postre a los niños cuando no se han dormido.

🌙 La luna

11

El mar, el mar y tú, plural espejo, el mar de torso perezoso y lento nadando por el mar, del mar sediento: el mar que muere y nace en un reflejo.

12

ESTADO DE LA MAR
Golfo de México

Previsión para esta semana

Vientos débiles de fuerza 2 en el Este y el Noroeste. Fuerza 2 a 3 en el Norte; 3 a 4 en el Sur. De marejada a marejadilla. Buena visibilidad.

3. POESÍA Y MÚSICA

  A Escucha atentamente estos dos poemas y responde a las preguntas en tu cuaderno.

– ¿Cuál de los dos te gusta más?
– ¿Qué palabras o frases comprendes?
– ¿Qué frase puedes recordar?

> No es necesario que entiendas TODAS las palabras. La música, el ritmo, los sonidos son parte de la poesía. Déjate llevar. Si el vocabulario te parece muy difícil y crees que necesitas entenderlo, piensa primero en qué puede querer decir. Y luego, mira en el diccionario para verificar si tu hipótesis era la correcta.

 B Formad grupos de cuatro y escuchad de nuevo las poesías.

¿Qué frase de estos poemas elegirías para...

❶ felicitar a una compañera?
❷ felicitar a un compañero?
❸ hacer una declaración de amor?
❹ el título de una revista literaria de la clase?
❺ un punto de libro?
❻ escribir en vuestra agenda?

C El profesor os volverá a pasar las grabaciones. Intenta memorizar un fragmento. Luego, recítalo en voz alta.

4. RIMAS

A En parejas, leed los siguientes poemas. ¿Con qué fotografías los relacionáis? ¿Por qué? ¿Cuál os gusta más?

- Yo creo que la foto XX va con el poema "Yo voy soñando caminos" porque...

Yo voy soñando caminos

Antonio Machado

Yo voy soñando caminos
de la tarde. ¡Las colinas
doradas, los verdes pinos,
las polvorientas encinas!...

¿Adónde el camino irá?
Yo voy cantando, viajero,
a lo largo del sendero...

–La tarde, cayendo está–.

"En el corazón tenía
la espina de una pasión;
logré arrancármela un día:
ya no siento el corazón. (...)

Si el hambre es buena

Gloria Fuertes

Si el hambre es buena,
un mendrugo de pan
⠀⠀⠀¿para qué más?
Si la playa es buena,
⠀⠀⠀¿para qué navegar?
⠀⠀⠀¿para qué más?
Si la amistad te llena,
⠀⠀⠀¿para qué buscar?
⠀⠀⠀¿para qué más?

Si el amor es AMOR,
loco es quien no dice:
⠀⠀⠀¿para qué más?

Rima XXI

Gustavo Adolfo Bécquer

¿Qué es poesía?, dices, mientras clavas
en mi pupila tu pupila azul.
¡Qué es poesía! ¿Y tú me lo preguntas?
Poesía... eres tú.

> La **rima** es uno de los recursos principales de la poesía. Consiste en la repetición de fonemas al final del verso, a partir de la última vocal acentuada (incluida ésta).

Se llama **rima consonante** cuando se repiten todas las vocales y las consonantes de las sílabas.	poe**sía** fanta**sía**
Se llama **rima asonante** cuando se repiten una o dos vocales.	ar**e**n**a** t**ie**rr**a**

SÍLABAS TÓNICAS Y ÁTONAS

Las palabras se dividen en sílabas:
ma-ri-po-sa

Hay sílabas tónicas (o fuertes), que son las que se pronuncian con mayor intensidad:
ma-ri-**po**-sa

Y sílabas átonas, que son todas las demás:
ma-ri-po-**sa**

Según la posición de la sílaba tónica, las palabras pueden ser agudas, llanas o esdrújulas.

Agudas: la sílaba fuerte es la última.
cora**zón**, liber**tad**, llega**rá**
Llanas: la sílaba fuerte es la penúltima.
pecho, **bo**ca, dor**mi**do, **al**ma
Esdrújulas: la sílaba fuerte es la antepenúltima.
mástiles, nos**tál**gicas, **pá**jaros

LA TILDE (´)

La tilde es el acento ortográfico. Se coloca encima de una de las vocales que forman la sílaba tónica. Las reglas de acentuación son:

Agudas: llevan tilde todas las palabras que terminan en **vocal**, en **n** o en **s**: ra**zón**, llega**rá**.

Llanas: llevan tilde todas las que no terminan en **vocal** ni en **n** ni en **s**: **fá**cil, di**fí**cil.

Esdrújulas: siempre llevan tilde: **más**tiles, nos**tál**gicas, **pá**jaros, **lá**grimas.

TILDE DIACRÍTICA

Las palabras monosílabas no llevan nunca tilde excepto unas cuantas, que se acentúan para diferenciar palabras que se escriben igual.

Me gusta **tu** hermano. Me gustas **tú**.

● Digo lo **que** veo y lo **que** pienso.
○ ¿**Qué** ves? ¿**Qué** piensas?

● **Si** quieres, te digo una cosa.
○ **Sí**, dímela, por favor.

DIPTONGO

Un diptongo es un conjunto de dos vocales: una abierta (**a**, **e**, **o**) y una cerrada (**i**, **u**), o bien de dos cerradas (**i**, **u**) en una misma sílaba.

ai-re   m**ue**-vo   r**ui**-do   d**iu**r-no

Si tenemos una vocal abierta más vocal cerrada y la cerrada se pronuncia tónica, ésta se acentúa:

Ma-**rí**-a   **Ma**-ria   po-e-**sí**-a   po-e-sia

B En casa, buscad una música de fondo. Para el próximo día de clase deberéis leer una de las poesías en voz alta con la música que hayáis escogido.

C Haced listas con las palabras que riman y pintad las rimas en distintos colores.

CAMINOS   AZUL   PAN
PINOS   TÚ   MÁS

D Haced una lista de palabras que rimen con las siguientes.

agua   lágrimas   besos
AMOR   sol   SOLEDAD   alma
arena   mar   luna   emoción

E Escribid un poema parecido al de Gloria Fuertes, "Si el hambre es buena", pero cambiando los sustantivos por las palabras de la lista anterior. También podéis añadir otras palabras que os gusten. Los versos deben rimar. Luego, ponedlo en una cartulina y colgadlo por la clase.

5. ROMPECABEZAS POÉTICO

A Escribe un sustantivo en una hoja de papel. Luego, dóblala de manera que no se vea lo que has escrito e intercámbiala con la de un compañero. Ahora, escribe un adjetivo en la otra parte de la hoja. Abre el papel. ¿Cuáles son las frases más sorprendentes?

B Aquí tienes el inicio de dos poemas de dos poetas españoles muy conocidos. Cópialos en tu cuaderno y, luego, con un compañero, completadlos con las frases que tenéis desordenadas.

OSCURO
MAR   LIBRE

Si mi voz muriera en tierra
Rafael Alberti

Si mi voz muriera en tierra
llevadla al nivel del mar

Romance sonámbulo
Federico García Lorca

Verde, que te quiero verde.
Verde viento. Verdes ramas.

verde carne, pelo verde,
con ojos de fría plata.

Verde, que te quiero verde.

¡Oh mi voz condecorada
con la insignia marinera:

y dejadla en la ribera.

y ella no puede mirarlas.

que abre el camino del alba

¡y sobre el viento la vela!

Verde, que te quiero verde.

El barco sobre la mar
y el caballo en la montaña.

Bajo la luna gitana,
las cosas la están mirando

sobre el corazón un ancla
y sobre el ancla una estrella

Con la sombra en la cintura,
ella sueña en su baranda

Llevadla al nivel del mar
y nombradla capitana

de un blanco bajel de guerra.

y sobre la estrella el viento

Grandes estrellas de escarcha
vienen con el pez de sombra

> La **poesía surrealista** es un tipo de poesía que describe a las personas y las cosas con imágenes que vienen del mundo del subconsciente, como los sueños. La técnica utilizada es la llamada "escritura automática", que consiste en unir palabras sin pensar y luego, elegir aquellas frases que tienen mayor intensidad. Es decir, en la poesía surrealista, como en la pintura, no se trata de describir las cosas tal como se ven o se sienten, sino de formar frases sorprendentes para que el lector sienta un impacto.

C En estos poemas aparece de nuevo el Imperfecto de Subjuntivo (que ya has visto en la unidad 2). Aparece sólo en un verso. Con un compañero, descubridlo, encontrad su infinitivo y pensad en cómo se forma.

6. LAS NUBES SON COMO PAÑUELOS

Hay dos recursos del lenguaje muy usados en poesía que consisten en relacionar objetos o ideas a partir de sus semejanzas.

Símil: los dos términos de la comparación van unidos por el adverbio **como**.
Besos **como** mariposas.

Metáfora: no hay nexo, las ideas se yuxtaponen directamente.
El clavel de tu boca (= tu boca es roja como un clavel).

A Lee atentamente estos fragmentos de poemas. Rellena un cuadro como el siguiente y, luego, responde a estas preguntas.

Según los poetas:
– ¿A qué se parecen las nubes y una guitarra?
– ¿En qué piensa cuando ve las barcas en la playa?
– ¿Qué le recuerda el campo de olivos? ¿Por qué?

Como pañuelos blancos de adiós viajan las nubes.

Pablo Neruda

El campo de olivos se abre y se cierra como un abanico.

Federico García Lorca

Las nubes	Pañuelos blancos
Las barcas en la playa	
La guitarra	
El campo de olivos	

La guitarra es un pozo con viento en vez de agua.

Mario Benedetti

Las barcas de dos en dos, como sandalias del viento puestas a secar al sol. Yo y mi sombra, ángulo recto.

Manuel Altoaguirre

B Trabaja con un compañero. ¿Pensáis lo mismo? ¿Os recuerdan a otras cosas? ¿A qué?

C Ahora, jugad a las metáforas. En parejas, cada uno piensa cuatro palabras: un animal, un objeto, una parte del cuerpo y una emoción. Copiadlas en las cuatro esquinas de una hoja de papel y haceos preguntas sobre las palabras. Con las respuestas del compañero, cada uno rellena las cuatro partes de la hoja. Responded a las preguntas sin reflexionar mucho, dejándoos llevar por las sensaciones de formas, olores y colores.

● ¿A qué se parece un gato?
○ Se parece a un tigre.
  ¿A qué te recuerda la luna llena?
○ Es como si el sol se vistiera de blanco y el cielo de negro.

D Recuperad vuestras hojas y, entre los dos, elegid cuatro palabras de las ocho que tenéis. Escribid una metáfora para cada una, eligiendo las comparaciones más sorprendentes de vuestras listas. Copiadlas en cartulinas y colgadlas por la clase.

IMPERFECTO DE SUBJUNTIVO

Este tiempo tiene dos formas equivalentes.

AMAR

am**ara**	o	am**ase**
am**aras**	o	am**ases**
am**ara**	o	am**ase**
am**áramos**	o	am**ásemos**
am**arais**	o	am**aseis**
am**aran**	o	am**asen**

IRREGULARES
SER

fuera	o	**fuese**
fueras	o	**fueses**
fuera	o	**fuese**
fuéramos	o	**fuésemos**
fuerais	o	**fueseis**
fueran	o	**fuesen**

TENER

tuviera	o	**tuviese**
tuvieras	o	**tuvieses**
tuviera	o	**tuviese**
tuviéramos	o	**tuviésemos**
tuvierais	o	**tuvieseis**
tuvieran	o	**tuviesen**

COMO SI + IMPERFECTO DE SUBJUNTIVO

El gato anda (como si) **tuviera** un silenciador.

PARECER/PARECERSE

¿Qué parece el gato? El gato **parece** un tigre pequeñito. Su cola **parece** una antena.

¿A qué **se parecen** las estrellas? Las estrellas **se parecen a** los ojos de los niños cuando ríen.

7. POESÍA DE LA VIDA COTIDIANA

A En grupos de cuatro, describid estos dos objetos: qué forma tienen, qué color, para qué sirven y a qué os recuerdan.

B Ahora, leed los poemas siguientes. ¿Habéis escrito alguna frase parecida?

CANCIONCILLA de AMOR a mis ZAPATOS

Los zapatos en que espero
el tiempo de mi partida,
tienen dos alas de cuero
para sostener mi vida.

Bajo la suela delgada
siento la tierra que espera.
Entre la vida y la nada
¡qué delgada es la frontera!

RAFAEL MORALES

C Pensad en un objeto que os guste mucho y haced una lista de palabras con todas las comparaciones posibles. Elegid las comparaciones más sorprendentes, más originales, y escribid un pequeño poema imitando la estructura de uno de estos dos poemas.

ODA a la ALCACHOFA

La alcachofa
de tierno corazón
se vistió de guerrero,
erecta, construyó
una pequeña cúpula,
se mantuvo
impermeable
bajo
sus escamas,
(...)
y la dulce
alcachofa

allí en el huerto,
vestida de guerrero,
bruñida
como una granada,
orgullosa,
y un día
una con otra
en grandes cestos
de mimbre, caminó
por el mercado
a realizar su sueño:
la milicia.

PABLO NERUDA

8. POETAS

A ¿Conoces a estos poetas de habla hispana? Lee atentamente sus poemas, que tienes en la página siguiente, y relaciona cada fragmento de poema con un libro.

Gustavo Adolfo Bécquer

Federico García Lorca

Mario Benedetti

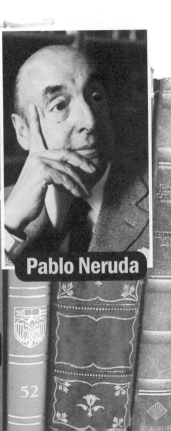

Pablo Neruda

1

el amor es una bahía linda y generosa
que se ilumina y se oscurece
según venga la vida
una bahía donde los barcos
llegan y se van
llegan con pájaros y augurios
y se van con sirenas y nubarrones
una bahía linda y generosa
donde los barcos llegan
y se van
pero vos
por favor
no te vayas.

2

Ya no la quiero, es cierto, pero tal vez la quiero.
Es tan corto el amor, y es tan largo el olvido.
Porque en noches como ésta, la tuve entre mis brazos,
mi alma no se contenta con haberla perdido.
Aunque éste sea el último dolor que ella me causa,
y éstos sean los últimos versos que yo le escribo.

3 Huye luna, luna, luna.
Si vinieran los gitanos,
harían con tu corazón
collares y anillos blancos.

4 Por una mirada, un mundo;
por una sonrisa, un cielo;
por un beso... yo no sé
qué te diera por un beso.

COMPARAR

COMO
El limón es **como** una luna pequeña y amarilla.
Las penas son **como** picaduras de abejas.

COMO... PERO MÁS / MENOS
El gato es **como** un tigre, **pero más** pequeñito.
El gato es **como** una antena, **pero con** patas.
La alcachofa es **como** una flor, **pero menos** bonita.
La alcachofa es **como** una flor **sin** colores.

EVOCAR SENSACIONES Y RECUERDOS

ME RECUERDA/N
Las lágrimas **me recuerdan** la lluvia.
Las cerezas **me recuerdan** a unos pendientes.
El chocolate caliente **me recuerda** al olor de la cocina de mi abuela.

ME HACE PENSAR EN
El fuego **me hace pensar en** el invierno.
Las rocas **me hacen pensar en** la playa.
Cuando veo antenas **pienso en** tejados.

ME DA SENSACIÓN DE
El mar a mí **me da sensación de** libertad.
Los lagos **me dan sensación de** calma.

B Discútelo con tu compañero. ¿Habéis hecho la misma relación? ¿En qué os habéis basado para hacerla?

C Ahora escuchad a unos chicos que hacen una exposición sobre cada uno de los poetas y verificad si vuestras hipótesis eran correctas.

D Escucha de nuevo y responde a las siguientes preguntas.

1. ¿Qué poeta pertenece al siglo XIX?

2. ¿Qué poeta nació en el siglo XX?

3. ¿De qué país es cada uno de los poetas?

4. ¿Qué poeta fue asesinado durante la Guerra Civil española?

LA REVISTA LOCA

AMOR
(fragmento)

Es hielo abrasador, es fuego helado,
es herida que duele y no se siente,
es un soñado bien, un mal presente,
es un breve descanso muy cansado;
es un descuido que nos da cuidado,
un cobarde, con nombre de valiente,
un andar solitario entre la gente,
un amar solamente ser amado;
(...)

Francisco de Quevedo

EL AMOR
EN LOS POETAS DEL
SIGLO DE ORO

Los siglos XVI y XVII fueron una etapa muy importante en las Artes y las Letras españolas. Es el periodo en el que Miguel de Cervantes escribió *Don Quijote de la Mancha* y se conoce con el nombre de Siglo de Oro.

En poesía destacan, entre otros, Luis de Góngora, Francisco de Quevedo y San Juan de la Cruz. Aquí tenéis un ejemplo de cómo hablaban del amor. Parece ser que esto no pasa de moda...

LA NOCHE OSCURA
(fragmento)

En la noche dichosa,
en secreto, que nadie me veía,
ni yo miraba cosa,
sin otra luz ni guía
sino la que en el corazón ardía.
(...)
Quedéme y olvidéme,
el rostro recliné sobre el amado,
cesó todo, y dejéme,
dejando mi cuidado
entre las azucenas olvidado.

San Juan de la Cruz

Festival de poesía de Medellín

PARA UNA PAZ MÁS ACTIVA QUE TODAS LAS GUERRAS

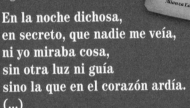

XVI FESTIVAL INTERNACIONAL DE POESÍA DE MEDELLÍN

En 1991, en medio de un clima de violencia y muerte, los escritores de la ciudad de Medellín (Colombia) decidieron iniciar un festival de poesía porque creyeron en la capacidad pacificadora y constructora de la palabra.
Desde entonces, en la última semana de junio se celebra un festival que reúne poetas de más de cien países, de todos los continentes, lenguas y culturas. Medellín se convierte en una ciudad de espacios abiertos en los que esos días en cientos de poetas luchan contra la violencia y defienden la vida. Sus armas son la libertad, el arte y la palabra.

www.festivaldepoesiademedellin.org

ESCOMBROS

Escombros es un grupo de artistas argentinos que desde 1988 está muy comprometido en la lucha y denuncia de las injusticias que ocurren en su país y en todo el mundo. Nació como un grupo de arte en la calle. Actualmente está compuesto por José Altuna, Claudia Castro, Horacio D'Alessandro, David Edward, Adriana Fayad, Luis Pazos y Héctor Puppo. Sus obras tratan temas sociales y políticos. Utilizan todo tipo de recursos artísticos: instalaciones, pintadas, esculturas, acciones, poemas objetos, páginas web, fondos de pantalla, incluso sellos.

POESÍA EN ACCIÓN

SOMOS ARTISTAS DE LO QUE QUEDA. NOS SORPRENDE SEGUIR VIVOS CADA MAÑANA, SENTIR SED, E IMAGINAR EL AGUA. ESCOMBROS

Una de sus actuaciones fue una escultura hecha con armas que se habían retirado de la circulación. Con ella, el grupo colaboró en la campaña que lleva a cabo desde hace muchos años Lidia Burry, una mujer de 80 años llamada "la abuela de las armas" por su lucha pacifista contra todo tipo de armamento y por la no-violencia.

CADA ARMA DESTRUIDA

Es un hijo que no verá asesinar a su padre.
Es un padre que no pagará rescate por su hijo.
Es una mujer que no será violada.
Es una familia que no será rehén.
Es una casa que no será robada.
CADA ARMA DESTRUIDA
es una victoria de la vida sobre la muerte.

Escombros y Luisa Burry

LÁGRIMAS DE LOS QUE NO PUEDEN EDUCARSE.

Una de sus exposiciones fue virtual y se llamaba **País de lágrimas**. Se trataba de una sucesión de fotografías de bolsitas llenas de lágrimas y cada bolsita llevaba distintas inscripciones: "Lágrimas de los chicos que mueren de hambre" o "Lágrimas de aquellos a los que les robaron el futuro", entre otras.

las cosas más importantes no son cosas

Las cosas más importantes

Ester Partegàs
Las cosas más importantes, 2005
acero, esmalte
55,9 x 55,9 cm
Cortesía de Galería Helga de Alvear, Madrid

Ésta es una de las obras expuestas en ARCO 2006, la Feria Internacional de Arte Contemporáneo, que se celebra anualmente en Madrid. En la feria se puede ver lo más interesante y novedoso del panorama artístico nacional e internacional.

Poema o pintura, ¿qué opinas?

EL SECRETO DE LOS HELADOS GON CAP.7

DENTRO DE LA FÁBRICA DE HELADOS LAS COSAS SE COMPLICAN. EL PADRE DE ÁLVARO SE HA DADO CUENTA DE QUE LOS AMIGOS DE SU HIJO ESTÁN ALLÍ. SU SECRETO VA A SER DESCUBIERTO...

TODO EMPEZÓ HACE ALGUNOS MESES. LA EMPRESA NO IBA BIEN. UNA PEQUEÑA FÁBRICA DE HELADOS NO PODÍA COMPETIR CONTRA LAS GRANDES MULTINACIONALES QUE LLENABAN LA TELEVISIÓN CON PUBLICIDAD DE SUS PRODUCTOS. CADA VEZ TENÍA MÁS DEUDAS. ADEMÁS, LA FAMILIA GONZÁLEZ ESTABA ACOSTUMBRADA A UNA VIDA CARA: COCHES, VIAJES, UNA BONITA CASA... UN DÍA, EL ABOGADO DE LA EMPRESA, IVÁN RAMOS, LLAMÓ A GONZÁLEZ PARA PROPONERLE UNA SOLUCIÓN FÁCIL, PELIGROSA, PERO FÁCIL...

LUIS, ESTO NO PUEDE SEGUIR ASÍ. YA SABES QUE ME ENCANTA TRABAJAR CONTIGO PERO LAS COSAS VAN MUY MAL... YO CREO QUE VAS A TENER QUE CERRAR... Y DESPEDIR A TODO EL MUNDO...

SÍ, LO SÉ... NO PODEMOS HACER NADA, ¿VERDAD?

BANCO

BUENO, YO TENGO UNOS CONOCIDOS QUE NECESITAN TRANSPORTAR DISCRETAMENTE UNA MERCANCÍA A HOLANDA...

ESO SUENA A ILEGAL...

TÚ NO TIENES QUE SABER NADA... DÉJAME ORGANIZARLO A MÍ. SERÁ MUY FÁCIL. UN PEQUEÑO REGALO SORPRESA EN CADA CUCURUCHO DE HELADO. ¡Y YA ESTÁ! ALGO ASÍ, MIRA...

UNAS SEMANAS DESPUÉS, CUANDO YA TODO ESTABA CASI A PUNTO, GONZÁLEZ EMPEZÓ A PONERSE NERVIOSO, A TENER MIEDO...

IVÁN, LO SIENTO, NO PUEDO, NI QUIERO... PREFIERO CERRAR LA FÁBRICA. ODIO COLABORAR CON LA MAFIA DE LAS DROGAS...

LUIS, ES DEMASIADO TARDE. ESTA GENTE NO JUEGA... YO, SI ESTUVIERA EN TU SITUACIÓN, TERMINARÍA...

EFECTIVAMENTE, LOS "SOCIOS" NO SE TOMARON MUY BIEN LAS INTENCIONES DE GÓNZALEZ DE NO SEGUIR CON EL NEGOCIO DE LOS HELADOS.

Y AHORA TODO SE HA DESCUBIERTO.

¡LOS COMPAÑEROS DE ÁLVARO LO SABEN TODO!!!! TODO ESTO ES COMO UNA PESADILLA. ¿Y DÓNDE ESTÁ MI HIJO????

ÁLVARO HA CONSEGUIDO ESCAPAR DEL COCHE DONDE LO TENÍAN ESCONDIDO. HA APROVECHADO QUE SU GUARDIÁN, PREOCUPADO POR LOS RUIDOS QUE SE OÍAN EN EL INTERIOR DE LA FÁBRICA, LE HA DEJADO UN RATO SOLO.

MIGUEL, CON SU NUEVO MÓVIL HA LLAMADO AL 088, O SEA A LA POLICÍA.

MIENTRAS, EN LA FÁBRICA, LAS MÁQUINAS HAN EMPEZADO A PRODUCIR. ES COMO UNA FIESTA DE ESPUMA DE LAS QUE HACEN EN LAS DISCOTECAS Y EN ALGUNAS FIESTAS DE PUEBLO ¡PERO CON TRAFICANTES DE DROGAS BAÑADOS EN CHOCOLATE Y FRESA!

(CONTINUARÁ)

I. MIRÓ

A Mira este cuadro de Miró, intenta grabarlo en tu memoria (colores, formas...) y, luego, cierra el libro. Escribe algunas frases sobre lo que has visto.

B Abre el libro y vuelve a mirar el cuadro. En parejas, poned en común todo lo que habéis escrito. Luego escribid todo lo que imagináis viendo la pintura.

C Leed el poema de Octavio Paz sobre Joan Miró.

Fábula de Joan Miró

El azul estaba inmovilizado entre el rojo y el negro.
El viento iba y venía por la página del llano,
encendía pequeñas fogatas, se revolcaba en la ceniza,
salía con la cara tiznada gritando por las esquinas,
el viento iba y venia abriendo y cerrando puertas y ventanas,
iba y venía por los crepusculares corredores del cráneo,
el viento con mala letra y las manos manchadas de tinta
escribía y borraba lo que había escrito sobre la pared del día.
El sol no era sino el presentimiento del color amarillo,
una insinuación de plumas, el grito futuro del gallo.
La nieve se había extraviado, el mar había perdido el habla,
era un rumor errante, unas vocales en busca de una palabra.

Octavio Paz

D Ahora, haced vosotros una pequeña composición de cuatro versos explicando lo que veis, lo que os ha hecho sentir. Utilizad algunas de las frases que tenéis ya escritas. También podéis inspiraros en el texto de Octavio Paz.

II. DALÍ

Ahora, con otro compañero, mirad esta pintura de Salvador Dalí y haced las siguientes actividades.

1 Explicad lo que veis:
- ¿Dónde está la mujer?
- ¿Cómo va vestida?
- ¿De qué color es su pelo?
- ¿Dónde está?
- ¿Qué se ve por la ventana?

2 Explicad lo que imagináis:
- ¿Qué hace la mujer en la ventana?
- ¿A quién espera?
- ¿En qué piensa?

3 Entre los dos, decidid un título para el cuadro.

4 Luego, con todo lo que habéis hablado y, a partir del título, componed un pequeño poema (de máximo 10 versos) sobre este cuadro. Recordad las actividades que habéis hecho sobre los símiles, las metáforas, las rimas...

El DOSSIER de la CLASE

EL LIBRO DE POEMAS

Vas a construir tu propio libro de poemas.

TAREA

A Para ello vas a elegir los cinco mejores poemas que has hecho en la unidad.

B Los vas a copiar cuidadosamente, cada uno en una página, en papel bonito, a mano o con ordenador. No olvides el título.

C Puedes añadir dibujos o acuarelas para ilustrarlos o para decorar las páginas.

D Cuando los tengas copiados, con una cartulina, haces una portada. En ella debes poner el título de tu libro, tu nombre y la fecha.

E Os intercambiaréis los libros al azar entre los compañeros de la clase. En parejas, elegiréis dos poemas de los libros que hayáis recibido y prepararéis una lectura en voz alta, con fondo musical.

F Y para terminar, responde de nuevo el cuestionario que había al principio de la unidad (Actividad 1, La poesía y tú).

G ¿Hay diferencias entre tus respuestas de antes y las de ahora?

NECESITAMOS
- Papel blanco o de colores
- Lápices o rotuladores de colores, pinturas o acuarelas
- Cartulina
- Música
- Inspiración
- Sensibilidad

Repaso
de las
unidades
4, 5 y 6

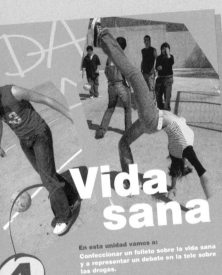

Vida sana

4

En esta unidad vamos a:
Confeccionar un folleto sobre la vida sana y a representar un debate en la tele sobre las drogas.

Para ello vamos a aprender:
- las construcciones pasivas con **se**
- el Imperativo (**usted** y **ustedes**)
- cuantificadores: **más / menos de, un poco de...**
- los pesos y las medidas: **litros, kilos...**
- a recomendar o a aconsejar: **es bueno / malo / aconsejable que** + Subjuntivo, **ir / no ir bien / mal, hay que** + Infinitivo...
- **lo que más / menos**
- algunos conectores: **por eso, sin embargo...**
- marcadores temporales: **cuando, siempre que, cada vez que, en el momento de...**

5 Nosotros, los jóvenes

En esta unidad vamos a:
Preparar un pequeño discurso con nuestras opiniones sobre los problemas sociales que más nos preocupan.

Para ello vamos a aprender:
- a hablar de derechos
- a expresar y a debatir puntos de vista: **yo pienso / opino / creo/...**
- a valorar situaciones: **es injusto / horrible / muy triste /... que** + Subjuntivo
- a exponer un problema y sus causas
- a expresar obligación y prohibición: **deber / no deber** + Infinitivo
- a proponer soluciones: **tendrían que / habría que** + Infinitivo, **debería/as/a...** + Infinitivo
- **muy / mucho/a/os/as, tan / tanto/a/os/as**
- algunas frases relativas con Subjuntivo
- a expresar causa: **por qué, porque**
- a referirnos a la finalidad: **¿para qué?, para que...**

6

Poesía eres tú

En esta unidad vamos a:
Escribir varios poemas y a hacer un libro de poesía.

Para ello vamos a:
- trabajar con poesía (rima, imágenes o figuras retóricas)
- aprender poesías en español
- aprender cosas sobre poetas del mundo hispano
- leer, a recitar y a reconstruir poemas
- explicar nuestras emociones y nuestros gustos
- comparar
- evocar sensaciones y recuerdos
- algunas reglas de acentuación: la tilde diacrítica y los diptongos
- a aprender el Imperfecto de Subjuntivo

¿Ya sabes...?

1 Ahora ya sabes hacer todas estas cosas, ¿verdad? Con un par de compañeros, buscad una frase para ampliar cada uno de los apartados.

■ Dar consejos y recomendaciones
Es conveniente desayunar muy bien.
Hay que dormir al menos ocho horas diarias.
Si te duele la garganta, toma zumo de limón con un poquito de miel.

■ Expresar cantidades
Necesitamos más de un kilo de harina.
No hemos puesto nada de azúcar.

■ Dar instrucciones
Se pelan las patatas.
Ponga el aceite en la sartén.

■ Expresar gustos
Lo que más me gusta son las ensaladas.
Yo detesto la poesía romántica.

■ Explicar acciones habituales
Cuando tengo exámenes, duermo mal.
Cada vez que hago deporte me siento mejor.

■ Hablar de acciones futuras
Cuando tengas exámenes, toma una buena infusión de tila antes de ir a la cama.
Cada vez que hagas deporte, haz unos buenos ejercicios de calentamiento antes de empezar.

■ Valorar una situación
Es horrible que haya niños soldados.
Es una buena noticia que se descubran vacunas nuevas.

■ Hablar de la causa
● ¿Por qué se manifiestan?
○ Porque la situación de los refugiados les parece injusta.

■ Hablar de la finalidad
¿Para qué es este cartel?
Para que no se fume aquí.

■ Proponer soluciones
El gobierno debería ayudar a los jóvenes a encontrar un trabajo.
Deberíamos ser más solidarios con las personas minusválidas.

■ Reclamar la atención
Fíjate en que esta palabra es igual que en inglés.

■ Especular
● Yo creo que esto no es verdad.
○ Pues yo sí.
■ Seguro que es verdad.

■ Comparar
El gato anda como si tuviera algodones en las patas.
La luna es como un gran globo blanco en la noche.

■ Evocar sensaciones y recuerdos
Las nubes me hacen pensar en rebaños de ovejas por el cielo.
El olor de los limones me recuerda a mis vacaciones en Valencia.

Palabras, palabras

2 Escribe esta receta en tu cuaderno completando el título y el texto con las palabras de los círculos. Atención: los verbos, debes escribirlos en la forma conjugada.

ALIMENTOS
aceitunas
aguacates
un limón
salmón

VERBOS
mezclar
rellenar
servir

CANTIDADES
un poquito
una pizca
gramos

SALSAS
mayonesa
ketchup

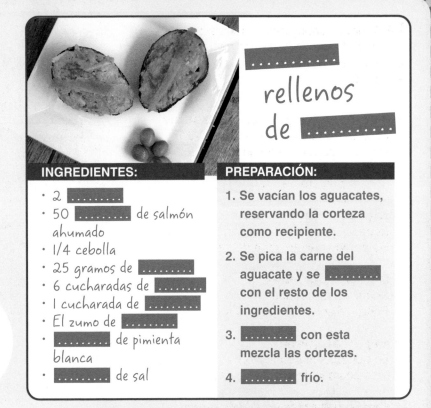

.... rellenos de ....

INGREDIENTES:

- 2 ....
- 50 .... de salmón ahumado
- 1/4 cebolla
- 25 gramos de ....
- 6 cucharadas de ....
- 1 cucharada de ....
- El zumo de ....
- .... de pimienta blanca
- .... de sal

PREPARACIÓN:

1. Se vacían los aguacates, reservando la corteza como recipiente.

2. Se pica la carne del aguacate y se .... con el resto de los ingredientes.

3. .... con esta mezcla las cortezas.

4. .... frío.

3 Completa las resoluciones de los representantes de los alumnos españoles en el Ecoparlamento de los jóvenes con los fragmentos de frases siguientes.

para que | Es absolutamente necesario que | sustituir las energías contaminantes | Rechazamos cualquier tipo de | El agua potable | un derecho | proteger la agricultura | contaminación atmosférica | gastos militares | Es muy necesario que | iguales | respeten el medio ambiente | hay que | utilizar mejor los transportes particulares y públicos | programas que promuevan la paz | color de nuestra piel | necesidades

Alumnos españoles en el Ecoparlamento de los jóvenes

14 niñas y 3 niños de edades comprendidas entre los 13 y 16 años, seleccionados entre más de 350 estudiantes españoles de secundaria, presentarán cinco ponencias sobre el medioambiente en el Ecoparlamento de los jóvenes, a partir de los trabajos de investigación realizados en sus centros durante el presente curso académico. El Ecoparlamento de los jóvenes, que se celebrará próximamente en París, es un proyecto europeo de educación ambiental que tiene como objetivo difundir los valores de respeto al medioambiente entre todos los jóvenes.

Las resoluciones a las que han llegado los alumnos de los institutos españoles son:

1 " .... nadie se quede sin comer."

2 " .... las industrias reciban subvenciones para .... por energías limpias como la eólica y la solar, que, además, no se agotan."

3 "Tenemos que aprender a .... para evitar la .... "

4 "Es muy importante un cambio de mentalidad .... las personas separen, reciclen y .... "

5 "Los gobiernos tienen que .... ecológica."

6 " .... es parte de nosotros porque es vida. Es ...., no un privilegio, por eso .... conservarla."

7 " .... guerra porque la guerra es siempre injusta y cruel, sobre todo contra los más débiles. Todo el dinero que se destina en exceso a .... debería dedicarse a .... y la no violencia."

8 "Nuestros nombres, idiomas, religiones y el .... pueden ser distintos pero esencialmente somos todos ...., somos todos personas humanas."

9 "Se debería ayudar en todo momento a las personas con .... especiales, como las personas de edad, los discapacitados, ya padezcan incapacidad física o mental, suprimiendo barreras arquitectónicas y favoreciendo una vida social e individual de calidad."

UN DULCE FINAL...

DENTRO DE LA FÁBRICA SIGUE LA BATALLA DE HELADOS ENTRE LOS CHICOS Y LOS MATONES DE LOS TRAFICANTES. AL PADRE DE ÁLVARO LE HAN ATADO A SU SILLA Y CONTEMPLA LA ESCENA IMPOTENTE, SIN PODER HACER NADA.

ÁLVARO Y MIGUEL, QUE HA CONSEGUIDO SALIR DEL EDIFICIO, ESTÁN ATERRORIZADOS, PERO POR SUERTE LA POLICÍA LLEGA PRONTO.

¡AQUÍ, AQUÍ...! ¡RÁPIDO, POR FAVOR! ¡SOCORRO! NECESITAMOS AYUDA...

DESPUÉS, TODO SUCEDE MUY RÁPIDAMENTE, COMO EN UN SUEÑO. LOS TRAFICANTES, SORPRENDIDOS POR EL RITMO DE LOS ACONTECIMIENTOS, INTENTAN HUIR PERO YA HAN LLEGADO VARIOS COCHES DE POLICÍA. CUBIERTOS DE HELADO Y DE CHOCOLATE NO PARECEN TAN PELIGROSOS COMO ANTES.

TAMBIÉN LLEGAN UNA AMBULANCIA Y LOS PADRES DE ALGUNOS CHICOS.

YA ESTÁ..., MAMÁ. ¡QUE NO HA PASADO NADA!

¿PERO POR QUÉ OS METÉIS SIEMPRE EN LÍOS? ¡QUÉ SUSTO, DIOS MÍO!

ÁLVARO Y SU PADRE TAMBIÉN ESTÁN POR FIN JUNTOS.

PAPÁ... ¿Y QUÉ PASARÁ AHORA CON LA FÁBRICA?

¡ES TAN EMOCIONANTE LO QUE HA PASADO! ¡ES COMO SI FUERA UNA SERIE DE LA TELE! Y TÚ... ¡ERES UN HÉROE! ¡MI HÉROE!!!

¿YO...? ¿TÚ HÉROE? ¿TÚ CREES?

POR LA TARDE, LOS PADRES DE ÁLVARO ORGANIZAN UNA GRAN FIESTA PARA DAR LAS GRACIAS A LOS CHICOS QUE, CON SU VALENTÍA, HAN LOGRADO SACAR AL SR. GONZÁLEZ DEL LÍO EN EL QUE ESTABA METIDO. NATURALMENTE, LA FIESTA VA A TERMINAR CON UN GRAN CONCIERTO DE... ¡LA PEÑA DEL GARAJE!

¿SABES? HE TENIDO UNA IDEA FANTÁSTICA QUE SALVARÁ LA EMPRESA. MIRA, DENTRO DE CADA HELADO, PONDREMOS UNA CAJITA ASÍ CON UN JUGUETE. SEGURO QUE SERÁ UN GRAN ÉXITO.

4 Responde a las preguntas sobre el capítulo final de La Peña del Garaje.

- ¿Por qué este capítulo se titula "Un dulce final"?
- ¿Qué crees que pasará con Helados Gon?
- La aventura de nuestros amigos ha cambiado un poco sus relaciones. ¿En qué?
- ¿Te ha gustado la historieta completa? ¿Cuál es el capítulo que te ha parecido más interesante? ¿Tienes algún personaje preferido de La Peña?

5 Lee la biografía y los poemas de Rafael Alberti y responde a las siguientes preguntas.

1. ¿Por qué se tuvo que exiliar de España?
2. ¿Cuándo volvió a su país?
3. ¿Qué relación ves entre las dos poesías y la biografía del poeta?
4. ¿Qué poesía te gusta más? ¿Por qué?
5. ¿Conoces a otros poetas de tu país, de España o de Latinoamérica que hayan tenido que exiliarse?

El poeta español Rafael Alberti nació en el Puerto de Santa María (Cádiz) en 1917 y murió en esta misma ciudad en 1999. Durante la Guerra Civil española militó activamente en política y dirigió varias revistas de orientación comunista. A causa de sus ideas y de sus escritos, al terminar la guerra tuvo que exiliarse y vivió en Argentina y en Roma. En 1977, con la democracia, volvió a España donde vivió hasta su muerte.

El mar es uno de los temas recurrentes en la poesía de Rafael Alberti. El otro tema es la pintura. Antes de ser poeta Alberti fue pintor, por eso dedicó muchos poemas a la pintura y a los pintores y además, ilustró sus libros con dibujos y pinturas propios.

Si mi voz muriera en tierra

Si mi voz muriera en tierra
llevadla al nivel del mar
y dejadla en la ribera.

Llevadla al nivel del mar
y nombradla capitana
de un blanco bajel de guerra.

¡Oh mi voz condecorada
con la insignia marinera:
sobre el corazón un ancla
y sobre el ancla una estrella
y sobre la estrella el viento
y sobre el viento una vela!

Los ojos de Picasso

Siempre es todo ojos.
No te quita ojos.
Se come las palabras con los ojos.

Es el siete ojos.
Es el cien mil ojos en dos ojos.
El gran mirón
como un botón marrón
y otro botón.
El ojo de la cerradura
por el que se ve la pintura.
El que te abre bien los ojos
cuando te muerde con los ojos.
El ojo de la aguja
que sólo ensarta cuando dibuja.
El que te clava con los ojos
en un abrir y cerrar de ojos.

(Fragmento)

6 Escucha la audición, copia la tabla siguiente y complétala con las informaciones.

	Edad	¿Qué hace como voluntario/a?	¿Por qué es voluntario/a?
IMMA			
KARIM			
LUCÍA			

¿Me lo explicas?

7 En parejas, explicad cuatro posibilidades de desayunos saludables, ponedles un nombre (por ejemplo: desayuno-energía, desayuno-rústico…) y explicad de qué alimentos está compuesto cada uno y por qué le habéis puesto ese nombre.

DESAYUNO-ENERGÍA...

8 Prepara una grabación en la que expliques una receta que te gusta. Primero, escribe la receta con los ingredientes, las cantidades y el modo de preparación. Explica también por qué has elegido esta receta y lo que sepas de ella (procedencia, propiedades...).

9 En grupos de cuatro realizad un pequeño debate partiendo de los siguientes puntos.

CUATRO ACCIONES PARA MEJORAR EL MUNDO

— Primero, tenéis que hacer una lista con propuestas de cosas que se pueden hacer para mejorar el mundo.

— Luego, vais a debatir a favor y en contra de cada una.

— Finalmente, tenéis que poneros de acuerdo en las cuatro acciones que consideréis más importantes y explicar por qué.

ESCUELA PÚBLICA Y GRATUITA PARA TODOS YA

MÁS ENERGÍA LIMPIA Y MENOS HUMOS

TODOS JUNTOS CONTRA LA GUERRA

HOMBRES Y MUJERES, MISMOS DERECHOS, MISMOS SALARIOS

10 A. Termina las frases siguientes de estas pancartas.

Queremos un mundo sin ....

Queremos un mundo con más ....

No a ....

Sí a ....

Si todos ....

B. Elige una de las frases de A y desarrolla un pequeño texto (de unas quince líneas) sobre el tema de la frase, explicando tus argumentos.

El test

11 Contesta el test y luego comprueba los resultados con un compañero.

1. ● **¿Te gustan las canciones de Juanes?**
   ○ ....
   a. La odio.
   b. ¡Me encantan!
   c. Les detesto.

2. Para hacer el guacamole, primero .... los aguacates.
   a. se pelan
   b. pelarse
   c. se pelen

3. Hay que comer .... cinco frutas al día.
   a. más
   b. por lo menos
   c. nada de

4. .... hacer ejercicio poco antes de ir a la cama.
   a. Tenemos
   b. Tengo
   c. No hay que

5. Lo que menos me gusta son ....
   a. las zanahorias.
   b. cocinar.
   c. la pasta.

6. El cansancio de muchos jóvenes .... la falta de descanso durante el sueño.
   a. porque
   b. es debido a
   c. por eso

7. Cada vez que .... en barco, me mareo.
   a. viajaré
   b. viaje
   c. viajo

8. Demasiadas horas frente al ordenador no son buenas .... los ojos.
   a. por
   b. en
   c. para

9. Las niñas .... tener los mismos derechos y oportunidades que los niños.
   a. deben
   b. se debe
   c. hay que

10. Es una vergüenza que en el mundo todavía .... millones de niños sin escolarizar.
   a. hay
   b. haya
   c. había

11. Es una buena noticia que .... controlar el paludismo.
   a. puedo
   b. podría
   c. se pueda

12. ● **¿Por qué dices esto?**
   ○ .... sinceramente.
   a. Por qué lo pienso
   b. Para pensar
   c. Porque lo pienso

13. ¿............. es esta manifestación? .... protestar contra la guerra.
   c. Para .... Porque
   b. Para qué .... Para
   c. Para .... Para

14. ¿Estás a favor o .... de la libertad de expresión?
   a. contrario
   b. desfavorable
   c. en contra

15. Necesitan una casa .... vivir dignamente.
   a. porque
   b. que
   c. donde

16. El gobierno .... ayudar a los jóvenes en el tema de la vivienda.
   a. tendría
   b. deberíamos
   c. debería

17. .... que estudiar con mayor atención los problemas del medioambiente.
   a. Habría
   b. Es importante
   c. Debemos

18. Este perro mira como si .... un lobo.
   a. era
   b. fuera
   c. será

19. Canta como si .... vergüenza.
   a. tuviera
   b. tiene
   c. tendría

20. Este cuadro me .... en un día de verano.
   a. recuerda
   b. parece
   c. hace pensar

La gran chuleta de gramática

DEMOSTRATIVOS

Para señalar un objeto o a una persona, usamos los demostrativos.

singular

este libro	**ese** regalo	**aquel** niño
esta falda	**esa** camiseta	**aquella** mesa

plural

estos vasos	**esos** relojes	**aquellos** chicos
estas botas	**esas** camisetas	**aquellas** tiendas

Este libro es un poco aburrido.
¿Quiénes son **estas** chicas de la foto?
¿Quieres **ésas** o **aquéllas**?

Cuando nos referimos a algo cuyo género no está determinado, usamos las formas neutras **esto**/**eso**/**aquello**.

- ● ¿Para quién es **esto**?
- ○ Para Andrés.
- ● ¿Y **eso** de allí?
- ○ Para Jimena. Es un regalo.

LO DE

Para referirnos a un tema ya conocido, mencionado o claro por el contexto, usamos **lo de**.

Lo de la vacuna para la malaria es muy importante.
No entiendo **lo de** Carla.

POSESIVOS

Para identificar un objeto o a una persona, podemos usar los posesivos.

poseedor	posesivo
yo	**mi/s**
tú	**tu/s**
él/ella/usted	**su/s**
nosotros/as	**nuestro/a/os/as**
vosotros/as	**vuestro/a/os/as**
ellos/ellas/ustedes	**su/s**

¿Dónde está **mi** bolso?
Ésta es **mi** amiga Laura.

 En español cuando un posesivo acompaña al nombre no se utiliza el artículo.

~~el mi padre~~	**mi** padre
~~la mi casa~~	**mi** casa

Con partes del cuerpo y con objetos únicos, si no hay ambigüedad, se usan los artículos **el/la/los/las**.

¿Has cogido **la** mochila? *(por el contexto se entiende que es* **tu** *mochila)*
Me duele **la** pierna. (**mi** pierna)
Josu tiene **los** ojos muy bonitos. (**sus** ojos)

En español existe otra serie de posesivos; son los llamados tónicos, que concuerdan en género y en número con el nombre al que se refieren.

poseedor	posesivo			
yo	**mío**	**mía**	**míos**	**mías**
tú	**tuyo**	**tuya**	**tuyos**	**tuyas**
él/ella/usted	**suyo**	**suya**	**suyos**	**suyas**
nosotros/as	**nuestro**	**nuestra**	**nuestros**	**nuestras**
vosotros/as	**vuestro**	**vuestra**	**vuestros**	**vuestras**
ellos/ellas/ustedes	**suyo**	**suya**	**suyos**	**suyas**

La serie tónica de posesivos tiene los siguientes usos.

Informar sobre la identidad del poseedor.

- ● ¿De quién es esta maleta?
- ○ **Mía**.

Sustituir sustantivos ya mencionados o claros por el contexto. En este caso se usan con artículos determinados.

- ● Mis botas son ésas.
- ○ Y **las mías** esas negras.

Referirnos a relaciones entre personas. En este caso va siempre después del nombre.

- ● ¿Quién es?
- ○ **Un** vecino **mío**.

- ● ¿Con quién está hablando Marta?
- ○ Con **una** amiga **suya**.

 Pero cuando se determina la identidad con el nombre propio:

- ● ¿Con quién está hablando Marta?
- ○ Con **su** amiga Elvira.

La gran chuleta de gramática

LOS PRONOMBRES PERSONALES

PRONOMBRES SUJETO

Los pronombres sujeto son:

yo		
tú		
él	**ella**	**usted**
nosotros	**nosotras**	
vosotros	**vosotras**	
ellos	**ellas**	**ustedes**

Recuerda que en español la marca de la persona está en el verbo. Por eso, muchas veces no es necesario utilizar el pronombre sujeto.

Hablo español e italiano. (**-o** → yo)
Estudiamos español. (**-amos** → nosotros)

Pero en algunos casos los pronombres sujeto son necesarios, por ejemplo, cuando contrastamos diferentes informaciones sobre distintos sujetos.

● **Yo** soy español, ¿y **tú**?
○ **Yo**, polaco.

Yo me llamo Inés y **ella**, Juana.

O cuando identificamos a alguien.

● ¿El señor Lucas, por favor? ¿Es **usted**?
○ No, es **él**.

TÚ/USTED

Para tratar con formalidad al interlocutor usamos **usted/ustedes**. Estas dos formas se combinan con los verbos y con los otros pronombres en 3ª persona, como **él/ella** y **ellos/ellas**.

Usted se llama Baesa, ¿no?

Si eres una persona joven, lo normal es utilizar **usted** o **ustedes** con todos los adultos desconocidos (un camarero, un policía, una persona en la calle...). En el colegio, los chicos y las chicas españoles suelen utilizar **tú** o **vosotros** para dirigirse a los profesores.

En la mayoría de países latinoamericanos no se usa **vosotros**; sólo se usa **ustedes**.

En Argentina y en Uruguay, en lugar de **tú** se usa **vos**. Además, los tiempos verbales que acompañan a **vos** se conjugan de manera diferente: la última sílaba se convierte en tónica y pueden cambiar algunas vocales.

Vos hablás bien español, ¿lo **estudiás** en el colegio?

PRONOMBRES CON PREPOSICIÓN

Con las preposiciones (**para**, **de**, **a**, **sin**...) se usan los siguientes pronombres.

para mí
ti
él/ella/usted
nosotros/nosotras
vosotros/vosotras
ellos/ellas/ustedes

¿Este paquete es **para mí** o **para ti**?

Un caso especial es el de la preposición **con**.

conmigo
contigo
con él/ella/con usted
con nosotros/nosotras
con vosotros/vosotras
con ellos/ellas/ustedes

¿Vienes **conmigo** o vas **con ellos**?

PRONOMBRES DE COMPLEMENTO DIRECTO

El CD (Complemento Directo) es la cosa o la persona sobre la que se realiza la acción del verbo. Como en muchas lenguas, cuando ya sabemos a qué sustantivo nos referimos o queda claro por el contexto, éste se sustituye por un pronombre.

Sujeto	CD	
yo	**me**	
tú	**te**	
él/ella/usted	**lo**	**la**
nosotros/nosotras	**nos**	
vosotros/vosotras	**os**	
ellos/ellas/ustedes	**los**	**las**

● ¿Y el anorak?
○ **Lo** he guardado en la mochila.

Cuando el tema principal de la frase es el CD, lo ponemos al principio y añadimos el pronombre correspondiente antes del verbo.

El anorak **lo** he puesto en la mochila.

Cuando el pronombre de CD hace referencia a una persona de género masculino y número singular, se acepta también el uso de **le**.

● ¿Has visto a Ernesto últimamente?
○ Sí, **le** vi el lunes en el colegio. Estaba con Eva.

La **gran chuleta** de **gramática**

PRONOMBRES DE COMPLEMENTO INDIRECTO

Sujeto	CI
yo	**me**
tú	**te**
él/ella/usted	**le**
nosotros/nosotras	**nos**
vosotros/vosotras	**os**
ellos/ellas/ustedes	**les**

→ El Complemento Indirecto (CI) es la persona o personas destinatarios de la acción de un verbo. En español oral normalmente se duplica el CI: aparece el CI y su pronombre correspondiente.

Le he comprado un disco **a mi hermana**.
└─Pronombre de CI   └─CI

→ Cuando el tema principal de la frase es el CI, lo ponemos al principio y añadimos el pronombre correspondiente delante del verbo.

A mi hermana **le** he comprado un anillo.

PRONOMBRES REFLEXIVOS

→ Algunos verbos, los llamados reflexivos, van con los pronombres **me/te/se/nos/os/se**. Por ejemplo: **llamarse**, **quedarse**.

me	llamo
te	llamas
se	llama
nos	llamamos
os	llamáis
se	llaman

Mi mejor amigo **se llama** Jaime Huertas.
Nos quedamos en casa porque estábamos cansados.

→ Cuando una acción se realiza sobre el propio sujeto, usamos los verbos reflexivos.

Yo siempre **me ducho** por la noche y, después, mi madre **ducha** a mi hermana.
Primero, **acuestan** al bebé, a las 20 h. Y ellos **se acuestan** más tarde, a las 22 h.

→ Cuando el CD es una parte del propio cuerpo o es ropa del sujeto también se usa la forma reflexiva.

Héctor, ¿**te has lavado** los dientes?
¿No **te has puesto** la chaqueta?

→ Con algunos verbos que se refieren a la consumición o al aprovechamiento de algo, el uso de los pronombres reflexivos es muy frecuente y puede expresar que la acción se ha realizado completamente, sobre la totalidad de algo.

Comió tortilla de patatas. (= algo de tortilla, una cierta cantidad no especificada)
Se comió la tortilla de patatas. (= toda la tortilla de patatas)

→ También se usa la serie reflexiva (las formas del plural) con las acciones recíprocas.

Las dos hermanas **se quieren** mucho.

→ Muchos verbos que indican movimiento son reflexivos y van con los pronombres **me/te/se/nos/os/se**.

VERBOS DE MOVIMIENTO Y POSICIÓN

acercarse a / **alejarse de**
acostarse
tumbarse
sentarse
levantarse
ponerse de pie / **rodillas**
quedarse sentado / **de pie** / **tumbado**

SE SIENTA   ESTÁ SENTADO   SE QUEDA SENTADO

→ Algunos verbos funcionan a veces como reflexivos y a veces no, y tienen significados o usos distintos.

IR/IRSE

Adiós, **me voy**. (= dejo el lugar en el que estoy)
Voy a casa de mi abuela. (= indico mi destino)

QUEDAR/QUEDARSE

He quedado con Kike para ir al cine. (= tengo una cita)
¿**Queda** zumo en la nevera o se ha acabado? (= hay)
Me he quedado en casa todo el fin de semana. (= no he salido)
Trabajaron Gustavo y Félix, pero Félix **se quedó con** todo el dinero. (= se apropió de todo el dinero)

La gran chuleta de gramática

LLEVAR/LLEVARSE

Siempre **llevo** ropa negra. (= me pongo)
Me llevo estas revistas, ¿vale? (= las tomo)

PARECER/PARECERSE (A)

Con ese vestido **pareces** un payaso. (= aspecto de)
Emilia **se parece a** su padre. (= similitud)
Mis hermanos **no se parecen** nada. (= similitud)

PRONOMBRES EN CONSTRUCCIONES VALORATIVAS

En español muchos verbos se combinan con la serie **me/te/le/nos/os/les** en construcciones cuyo sujeto es lo que produce el sentimiento o la valoración. Además, igual que pasa con los pronombres sujeto, cuando queremos marcar el contraste con otra persona o evitar la ambigüedad, usamos también los pronombres tónicos, en este caso con **a**: **a mí/a ti/a él/a ella/a usted/a nosotros/a nosotras/a vosotros/a vosotras/a ellos/a ellas/a ustedes.**

A ti te encantan las películas de miedo, ¿verdad?
¿A usted le interesa la astronomía?
¿A vosotros no **os molesta** esta música tan fuerte?

OTROS VERBOS ESPECIALES CON PRONOMBRES

Con **me/te/se/nos/os/se**:

ENFADARSE (alguien con alguien)

Me he enfadado con Ana.
Yo y mi padre nunca **nos enfadamos**.
Mis padres **se enfadan** si llego tarde.

PREOCUPARSE (alguien por algo/alguien)

Y sobre todo **se preocupa por** el medio ambiente.
Mis padres siempre **se preocupan por** mí.

LLEVARSE BIEN / MAL (alguien con alguien)

Me llevo muy bien con mi hermano pequeño.
Mi prima Elena y yo **nos llevamos mal**.

Con **me/te/le/nos/os/les**:

CAERLE BIEN / MAL (alguien a alguien)

El nuevo profesor **nos ha caído (muy) bien**.

¿Qué tal **te cae** Eva? **A mí me cae (muy) bien**.

Con **se + me/te/le/nos/os/les**:

PASÁRSELE (algo a alguien)

¿Todavía está enfadado o ya **se le ha pasado**?
Con esta pastilla, **se me pasa** enseguida el dolor.

POSICIÓN DE LOS PRONOMBRES

→ Normalmente, los pronombres se colocan delante del verbo.

A Olga no **la** he visto hoy.

→ Si hay dos pronombres, uno de CI y otro de CD, el orden es: CI + CD.

Me encanta esta camiseta. ¿**Me la** dejas?

→ Cuando los dos pronombres son de tercera persona, **le** se convierte en **se**.

¿Qué hago con los apuntes? ¿**Se los** llevo a Ana o **se los** devuelvo a Rosa?

→ Con Imperativo afirmativo, los pronombres de CD, de CI y los reflexivos se colocan detrás del verbo.

Dá**melas**.
Quéda**te** un rato más si quieres.

→ Con Imperativo negativo, van delante del verbo.

Cuidado, no **la** rompas.
No **le** regales flores: es alérgica.
No **se lo** digas a Iván.

→ Con las perífrasis, los pronombres suelen ir delante del verbo conjugado o detrás del Infinitivo o del Gerundio.

ESTAR + Gerundio

● ¿Has leído la carta?
○ No, estoy leyéndo**la** ahora.
   No, **la** estoy leyendo ahora.

IR + Infinitivo

● ¿Has leído la carta?
○ No, voy a leer**la** ahora.
   No, **la** voy a leer ahora.

TENER que + Infinitivo

● ¿Has leído la carta?
○ ¿Tengo que leer**la**?
   ¿**La** tengo que leer?

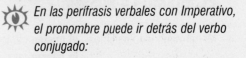 *En las perífrasis verbales con Imperativo, el pronombre puede ir detrás del verbo conjugado:*

Vuélve**melo** a explicar, por favor.

La gran chuleta de gramática

COMPARATIVOS Y SUPERLATIVOS

CON ADJETIVOS

Eva es **más delgada que** su prima.
Eva es **menos estudiosa que** su prima.

más bueno/a, más malo —— **(el) mejor, (el) peor**
Juan es **más malo que** su hermano mayor.
La paella estaba **más buena que** el cocido.
Este disco es **mejor/peor que** éste.
Este disco es **el mejor/ el peor**.

 Para elegir entre cosas distintas, usamos **lo mejor**.

- ● ¿Qué le regalamos?
- ○ ¿Una pulsera o unos pendientes? No sé...
- ■ **Lo mejor** es una camiseta original.

más grande —— **mayor**
Tamaño: La camiseta negra es **más grande que** la roja.
Edad: Álex es **mayor que** Toni y **que** Julián.
Álex es **el mayor** (**de** los tres).

más pequeño/a —— **menor**
Tamaño: La camiseta negra es **más pequeña que** la verde.
Edad: Toni es **menor que** David y Paco.
Toni es **el menor** (**de** los tres).

CON VERBOS

Ana Belén trabaja **más que** Helena.
Helena trabaja **menos que** Ana Belén.

IGUALDAD Y DESIGUALDAD

Ana es **tan alta como** su hermana.
Bertín **no** es **tan simpático como** Lorenzo.

 Al comparar acciones, se usa **(no) tanto como**:

Ana **no** come **tanto como** su hermana.

EL MISMO/LA MISMA...

Mi hermano y yo tenemos **el mismo** carácter.
la misma talla.
los mismos gustos.
las mismas costumbres.

GRADATIVOS Y CUANTIFICADORES

CON NOMBRES

→ **Poco**, **bastante**, **suficiente**, **mucho** y **demasiado** concuerdan con el sustantivo al que acompañan.

masculino singular	femenino singular
poco trabajo	**poca** gente
mucho trabajo	**mucha** gente
demasiado ruido	**demasiada** gente

masculino plural	femenino plural
pocos alumnos	**pocas** clases
muchos amigos	**muchas** flores
demasiados coches	**demasiadas** patatas

masculino y femenino singular
bastante trabajo / gente
suficiente tiempo / pasta

masculino y femenino plural
bastantes deberes / amigas
suficientes colegios / horas de clase

CON ADJETIVOS

→ **No... nada**, **bastante**, **muy** y **demasiado** son invariables cuando van con un adjetivo.

Esta película **no** es **nada** interesante.
Este disco es **bastante** bueno.
Esos coches son **muy** rápidos.
Estas casas son **demasiado** caras.

 Un poco *sólo se utiliza para hablar de cualidades negativas.*

Es **un poco** aburrido / pesado / difícil /...

CON VERBOS

→ **No ... nada**, **bastante**, **mucho**, **suficiente**, **poco** y **demasiado** son invariables cuando van con un verbo.

Javi **no** estudia **nada**.
Javi **no** estudia **lo suficiente**.

Javi estudia   **poco**.
bastante.
mucho.
demasiado.

MUY/MUCHO/A/OS/AS, TAN/TANTO/A/OS/AS

en una segunda mención

muy	➝	tan
mucho	➝	tanto
mucha	➝	tanta
muchos	➝	tantos
muchas	➝	tantas

- Es **muy** tarde.
- ○ No **tanto**. Sólo son las diez.

- Los gobiernos gastan **mucho** dinero en armas.
- ○ Sí, es verdad. Es horrible que gasten **tanto**.

- En el cole hay **muchos** alumnos que suspenden.
- ○ Yo creo que no **tantos**...

PESOS Y MEDIDAS

Necesito **más de** tres litros de leche para los flanes.
Yo peso **menos de** 60 kilos.
Hay que beber **por lo menos / al menos** dos litros de agua al día.

Pon **algo de** fruta.
¿Añado **un poco de** azúcar?
La salsa lleva **un poquito de** azúcar.
Échale **una pizca de** azúcar.
No lleva **nada de** azúcar, sólo huevo y leche.

100 **gramos de** sal

medio kilo de arroz

un cuarto de kilo de jamón

un kilo de carne

un litro de leche

dos litros de gaseosa

medio litro de agua

un cuarto de litro de zumo

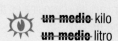 ~~un medio~~ kilo
~~un medio~~ litro

ALGÚN/O/A..., NINGÚN/O/A...

- ¿Hay **algún** chico nuevo este año en tu clase?
- ○ No, **no** hay **ningún** chico nuevo.
  No, **no** hay **ninguno**.

- ¿Hay **alguna** chica nueva?
- ○ No, **no** hay **ninguna** chica nueva.
  No, **no** hay **ninguna**.

Hay **algunos** chicos nuevos, cuatro o cinco.
Hay **algunas** chicas nuevas, cuatro o cinco.

 algo = *alguna cosa*

¡Cuidado! ¡Tienes **algo** en el ojo!

alguien = *alguna persona*
no ... nadie = *ninguna persona*

- ¿Hay **alguien** en la puerta?
- ○ No, **no** hay **nadie** en casa.

INTERROGATIVAS

¿Qué te gusta desayunar? ¿Cereales?
¿Quién es?
¿Quiénes son?
¿Cuál es tu deporte favorito?
¿Cuáles son tus cantantes preferidos?
¿Dónde están los servicios?
¿De dónde vienes a estas horas?
¿Adónde vas a ir el domingo?
¿Por dónde pasáis, por Bilbao o por Barcelona?
¿Cómo vas a casa? ¿En autobús?
¿Cuándo es tu cumpleaños?
¿Cuánto cuesta esta bici?
¿Cuánta leche necesito para la tarta?
¿Cuántos años estuviste en Francia?
¿Cuántas chicas había en la fiesta?
¿Por qué no viniste ayer a clase?
¿Para qué necesitas el coche?

→ Observa que en preguntas con preposición, ésta se sitúa antes de la partícula interrogativa.

- **¿En qué** has venido?
- ○ **En** tren.

- **¿De dónde** es tu profesor?
- ○ **De** Bolivia.

- **¿Con quién** vas de vacaciones?
- ○ **Con** mis padres.

La gran chuleta de gramática

QUÉ/CUÁL

QUÉ + nombre
¿Qué grupo de música te gusta más: La oreja de Van Gogh o El canto del loco?

QUÉ + verbo
Preguntamos sobre cosas de diferente tipo:

¿Qué quieres tomar: una pizza o pasta?

CUÁL + verbo
Por el contexto sabemos que elegimos entre el mismo tipo de cosas:

¿Cuál prefieres? ¿La de jamón o la de cuatro quesos?

FRASES EXCLAMATIVAS

¡Qué bonita!
¡Qué bueno eres, Miguel!

¡Qué camiseta!
¡Qué camiseta **tan** bonita!

¡Qué bien!

¡Cuánta gente!
¡Cuánto humo!
¡Cuántos mosquitos!
¡Cuántas flores!
¡Cómo corre!

PREPOSICIONES Y LOCUCIONES PREPOSICIONALES

REFERENCIAS ESPACIALES

A
El tren **a** Madrid sale a las tres.
Estamos **a** 12 km del pueblo.
Siempre voy **a pie** al cole.

EN
Vigo está **en** Galicia.
Las libretas están **en** la mochila.
Prefiero viajar **en** avión.

DE
Vengo **del** instituto.

DE ... A
De Valladolid **a** Zamora hay una hora en coche.

DESDE ... HASTA
Desde mi cole **hasta** mi casa hay unos 6 km.

CERCA / LEJOS DE
Vigo está muy **lejos de** Granada.
Mi casa está **cerca de** la playa, a veinte metros.

ENTRE
Zaragoza está **entre** Madrid y Barcelona.

HACIA
Toma el bús **hacia** el centro y baja en la sexta parada.

HASTA
Tomas el metro **hasta** la Plaza Castilla y allí preguntas.

POR
Vamos a dar una vuelta **por** el parque.
Siempre paso **por** tu calle cuando voy a trabajar.

SOBRE
Las galletas están **sobre** la nevera.

ENCIMA DE
Los calcetines están **encima de** la maleta.

DEBAJO DE
La maleta está **debajo de** la cama.

AL LADO DE
Las bolsas están **al lado de** la puerta.

JUNTO A
El banco está **junto** a la estación de autobuses.

REFERENCIAS TEMPORALES

A
Las clases terminan **a** las tres.
Hoy estamos **a** lunes, ¿no?
A los cuatro años ya sabía leer.

POR
Nunca tomo café **por** la noche.

DESDE
Vivo en México **desde** 2004.

EN
Llegó a la escuela **en** marzo.
En 2005 nació mi hermano Ricardo.
En verano vamos a Mallorca.

DE ... A
Vamos al cole **de** lunes **a** viernes, **de** 9 **a** 14 h.

OTROS USOS

A con CI o con CD de persona
¿Por qué no se lo das **a** Maite?
Llamamos **a** Daniel.

DE
El jersey verde que te gusta tanto es **de** lana.
La moto que está aparcada en la esquina es **de** Ana.
Teo me regaló un disco **de** jazz.

CON

¿**Con** quién vas al cine? ¿**Con** Hugo?
Es una habitación **con** dos ventanas.

POR

Está preocupado **por** los exámenes.

PARA

Hay que hacer algo **para** ahorrar más energía.
Quiero comprar algo **para** Ana, es su cumpleaños.

SIN

El café, **sin** azúcar, por favor.
Entró en la sala **sin** decir nada.

SOBRE

No tenemos la misma opinión **sobre** este tema.
Mira, un artículo **sobre** el cambio climático.

A FAVOR / EN CONTRA DE

¿Tú estás **a favor** o **en contra de** la energía nuclear?

LOS VERBOS

Para hablar del presente

Para hablar de acciones actuales o habituales usamos el Presente.

Vivo en Alemania.
Los lunes **voy** a la piscina.

Cuando queremos presentar una acción en su desarrollo, usamos **estar** + Gerundio.

● ¡Yago!
○ Un momento, **estoy hablando** por teléfono.
Un momento, ~~hablo~~ por teléfono.

Para hablar del futuro

FUTURO IMPERFECTO

Recuerda que el Futuro se forma con el Infinitivo del verbo y las terminaciones -**é**, -**ás**, -**á**, -**emos**, -**éis**, -**án**.

FORMAS REGULARES

PENSAR	COMER	VIVIR
pensar**é**	comer**é**	vivir**é**
pensar**ás**	comer**ás**	vivir**ás**
pensar**á**	comer**á**	vivir**á**
pensar**emos**	comer**emos**	vivir**emos**
pensar**éis**	comer**éis**	vivir**éis**
pensar**án**	comer**án**	vivir**án**

De mayor, **seré** profesora y me **casaré** con David.

ALGUNAS FORMAS CON LA RAÍZ IRREGULAR

DECIR	**dir**é/ás/á...
HABER	**habr**é/ás/á...
HACER	**har**é/ás/á...
PODER	**podr**é/ás/á...
PONER	**pondr**é/ás/á...
QUERER	**querr**é/ás/á...
SABER	**sabr**é/ás/á...
SALIR	**saldr**é/ás/á...
TENER	**tendr**é/ás/á...
VENIR	**vendr**é/ás/á...

IR A + INFINITIVO

Para referirnos a acciones futuras usamos también **ir a** + Infinitivo.

¿**Vas a ver** a Helga mañana?

Se usa especialmente cuando queremos relacionar una acción futura con el momento en el que hablamos o para referirnos a una intención o a un proyecto.

Este verano **voy a viajar** por Andalucía.
Mañana **voy a salir** con Laura.

En muchas de las variantes del español de Latinoamérica y de algunas zonas de España es más frecuente el uso de **ir a** *+ Infinitivo que el del Futuro Imperfecto, tenga o no relación la acción futura con el presente.*

PRESENTE

Usamos el Presente cuando presentamos la acción futura como el resultado de una decisión.

Este verano **me quedo** en casa.
Este año lo **apruebo** todo, seguro.

CUANDO + PRESENTE DE SUBJUNTIVO

Muchas veces relacionamos dos acciones futuras. La que presentamos con **cuando**, se expresa en Presente de Subjuntivo.

Cuando tenga 15 años, tendré moto.

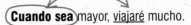

Cuando sea mayor, viajaré mucho.

Recuerda que las formas del Presente de Subjuntivo son como las del Imperativo negativo.

La **gran chuleta** de **gramática**

Para hablar del pasado

Para referirnos a acciones pasadas, en español podemos usar varios tiempos.

PRETÉRITO PERFECTO

Usamos el Pretérito Perfecto para hablar de acciones pasadas muy relacionadas con el presente o cuando no interesa decir cuándo han sucedido.

● ¿Qué **has hecho** este fin de semana?
○ **He visto** varias películas mexicanas muy buenas.

Nunca **he estado** en Panamá.

PRETÉRITO INDEFINIDO

Se usa el Pretérito Indefinido para hablar de acciones pasadas situadas en un momento concreto, que presentamos como terminadas y no relacionadas con el presente.

¿Qué **hiciste** el domingo pasado?
Ayer **vi** una película de terror.
Estuve en Estados Unidos en 2001.

Cuando queremos insistir en la duración, podemos usar el Pretérito Indefinido de **estar** + Gerundio.

Ayer **estuve estudiando** Mates toda la tarde.

PRETÉRITO IMPERFECTO

El Pretérito Imperfecto sirve para hablar de acciones sin verlas como terminadas, sino en su desarrollo. Por eso, tiene los siguientes usos.

Hacer descripciones.

Mi abuelo **era** muy cariñoso.

Evocar las circunstancias en un relato: las acciones se expresan en Pretérito Indefinido o en Perfecto y en Imperfecto la situación en la que se producen.

● ¿Por qué no viniste ayer?
○ Es que **estaba** enfermo.

Hablar de acciones habituales en el pasado.

Yo antes **iba** todos los días a hacer gimnasia.

Referirnos al contexto de un suceso pasado aludiendo a otra acción, que presentamos en su desarrollo con el Imperfecto de **estar** + Gerundio.

● Y cuando llegó tu padre, ¿qué **estabais haciendo**?
○ Pues **estábamos bailando** en el salón.

IMPERFECTO DE ESTAR + GERUNDIO

estaba	
estabas	
estaba	trabaj**ando**
estábamos	com**iendo**
estabais	sal**iendo**
estaban	

PRETÉRITO PLUSCUAMPERFECTO

Usamos el Pretérito Pluscuamperfecto para referirnos a una acción pasada anterior a otra acción pasada ya mencionada.

había	
habías	
había	trabaj**ado**
habíamos	com**ido**
habíais	sal**ido**
habían	

Yo llegué a las diez y Eva ya **se había ido** a las ocho.

El Condicional

El Condicional se forma con el Infinitivo del verbo y las terminaciones -**ía**, -**ías**, -**ía**, -**íamos**, -**íais**, -**ían**.

FORMAS REGULARES

HABLAR	LEER	IR
hablar**ía**	leer**ía**	ir**ía**
hablar**ías**	leer**ías**	ir**ías**
hablar**ía**	leer**ía**	ir**ía**
hablar**íamos**	leer**íamos**	ir**íamos**
hablar**íais**	leer**íais**	ir**íais**
hablar**ían**	leer**ían**	ir**ían**

ALGUNAS FORMAS CON LA RAÍZ IRREGULAR

DECIR	dir**ía**	QUERER	querr**ía**
HABER	habr**ía**	SABER	sabr**ía**
HACER	har**ía**	SALIR	saldr**ía**
PODER	podr**ía**	TENER	tendr**ía**
PONER	pondr**ía**	VENIR	vendr**ía**

Usamos el Condicional para expresar deseos.

● Me **gustaría** visitar Nueva York.
○ Yo **preferiría** ir a San Francisco.

Para evocar situaciones imaginarias.

Yo nunca **iría** de vacaciones a la Antártida.
Yo, si fuera un animal, **sería** un tigre.

→ Para sugerir soluciones o para hacer propuestas.

Deberíamos ir a ver a los abuelos.
Habría que gastar menos agua.
Podríamos ir al cine, ¿no?

El Imperativo

FORMAS REGULARES

	COMPR**AR**
(tú)	compr**a**
(usted)	compr**e**
(vosotros/as)	compr**ad**
(ustedes)	compr**en**

	BEB**ER**
(tú)	beb**e**
(usted)	beb**a**
(vosotros/as)	beb**ed**
(ustedes)	beb**an**

	VIV**IR**
(tú)	viv**e**
(usted)	viv**a**
(vosotros/as)	viv**id**
(ustedes)	viv**an**

ALGUNAS FORMAS IRREGULARES

	VENIR	HACER	PONER
(tú)	ven	haz	pon
(usted)	venga	haga	ponga
(vosotros/as)	venid	haced	poned
(ustedes)	vengan	hagan	pongan

	IR	SABER	DECIR	SALIR
(tú)	ve	sé	di	sal
(usted)	vaya	sea	diga	salga
(vosotros/as)	id	sed	decid	salid
(ustedes)	vayan	sean	digan	salgan

 El Imperativo se utiliza para dar instrucciones.

Pon la leche y el chocolate, y **mézclalos**.

 Se usa también para dar consejos o para hacer sugerencias.

Cómprate estos pantalones. Son muy bonitos.

 También sirve para pedir acciones, en un registro familiar o de forma poco cortés.

¡**Espera** un momento!

 Además, el Imperativo se utiliza en algunas fórmulas muy frecuentes que sirven para organizar los turnos de palabra.

Para captar la atención

Oye/Oiga...	**Oye**, Ana, ¿a ti te gusta Juanes?
Perdona/Perdone...	**Perdone**, ¿tiene hora?

Para introducir una explicación

Mira/Mire...	**Mira**, yo me tengo que ir. Hablamos mañana.
Oye/Oiga...	**Oye**, que es tarde. Me voy a casa.

IMPERATIVO NEGATIVO

	LLAM**AR**
(tú)	no llam**es**
(usted)	no llam**e**
(vosotros/as)	no llam**éis**
(ustedes)	no llam**en**

	BEB**ER**
(tú)	no beb**as**
(usted)	no beb**a**
(vosotros/as)	no beb**áis**
(ustedes)	no beb**an**

	ESCRIB**IR**
(tú)	no escrib**as**
(usted)	no escrib**a**
(vosotros/as)	no escrib**áis**
(ustedes)	no escrib**an**

IMPERATIVOS NEGATIVOS IRREGULARES

La forma para **tú** es como la forma para **usted** del Imperativo afirmativo, pero con una **-s** al final.

No vengas tarde.
No salgas antes de las tres de la tarde.
No tengas prisa.

El Subjuntivo

PRESENTE DE SUBJUNTIVO

FORMAS REGULARES

ESTUDIAR	COMER	ESCRIBIR
estudi**e**	com**a**	escrib**a**
estudi**es**	com**as**	escrib**as**
estudi**e**	com**a**	escrib**a**
estudi**emos**	com**amos**	escrib**amos**
estudi**éis**	com**áis**	escrib**áis**
estudi**en**	com**an**	escrib**an**

ALGUNAS FORMAS IRREGULARES

SABER   sepa/as/a...
IR   vaya/as/a...
TENER   tenga/as/a...
HACER   haga/as/a...
DECIR   diga/as/a...
PONER   ponga/as/a...

o-ue PODER	e-ie QUERER	e-i PEDIR
pueda	quiera	pida
puedas	quieras	pidas
pueda	quiera	pida
podamos	queramos	pidamos
podáis	queráis	pidáis
puedan	quieran	pidan

Cuando en el verbo principal se expresa un sentimiento o una reacción de un sujeto o persona ante
la acción de otra persona o sujeto, el verbo de la
frase subordinada va en Subjuntivo.

Me molesta (mucho)
Me fastidia
Lo que más me molesta es
No soporto
No aguanto
Me da (mucha) rabia
Me da (mucho) miedo
Me pone (muy) nervioso/a
Me da (mucha) vergüenza
Me da (mucha) pena
Me hace reír
No me importa
Me hace feliz

que + SUBJUNTIVO
que   hagas eso.

(TÚ)
que (**hagas**) eso.
SUBJUNTIVO

Me (da) miedo   (YO)
(A MÍ)   → (**hacer**) eso.
INFINITIVO

También se usa el Subjuntivo en la frase subordinada, cuando se hacen valoraciones impersonales
o cuando se formulan deseos.

Es una pena que no **puedas** venir.
No es justo que le **suspendan**.
Deseamos que **te mejores** pronto.
David espera que **vayas** a su fiesta.

Es injusto
Es horrible
Es una vergüenza
Es una pena
Está bien   **que** + SUBJUNTIVO
Es estupendo
Es bueno
Es una buena noticia

Las oraciones subordinadas relativas pueden estar
en Indicativo o en Subjuntivo:

**INDICATIVO: cuando conocemos la identidad
del antecedente o sabemos que existe.**

Van a un colegio <u>donde</u> **pueden** comer a mediodía.
Van a un colegio <u>en el que</u> **pueden** comer a mediodía.
Hay un colegio <u>que</u> **está** muy bien.

**SUBJUNTIVO: si desconocemos la existencia o
la identidad concreta del antecedente.**

Piden un colegio <u>donde</u> **puedan** comer a mediodía.
Piden un colegio <u>en el que</u> **puedan** comer a mediodía.
No hay ningún colegio <u>que</u> **esté** bien.

IMPERFECTO DE SUBJUNTIVO

Este tiempo tiene dos formas, equivalentes en casi
todos los usos.

FORMAS REGULARES

TRABAJAR

(yo)	trabaj**ara**	o	trabaj**ase**
(tú)	trabaj**aras**	o	trabaj**ases**
(él/ella/usted)	trabaj**ara**	o	trabaj**ase**
(nosotros/as)	trabaj**áramos**	o	trabaj**ásemos**
(vosotros/as)	trabaj**arais**	o	trabaj**aseis**
(ellos/ellas/ustedes)	trabaj**aran**	o	trabaj**asen**

COMER

(yo)	com**iera**	o	com**iese**
(tú)	com**ieras**	o	com**ieses**
(él/ella/usted)	com**iera**	o	com**iese**
(nosotros/as)	com**iéramos**	o	com**iésemos**
(vosotros/as)	com**ierais**	o	com**ieseis**
(ellos/ellas/ustedes)	com**ieran**	o	com**iesen**

ESCRIBIR

(yo)	viv**iera**	o	viv**iese**
(tú)	viv**ieras**	o	viv**ieses**
(él/ella/usted)	viv**iera**	o	viv**iese**
(nosotros/as)	viv**iéramos**	o	viv**iésemos**
(vosotros/as)	viv**ierais**	o	viv**ieseis**
(ellos/ellas/ustedes)	viv**ieran**	o	viv**iesen**

→ Los verbos irregulares en Imperfecto de Subjuntivo se forman a partir de la tercera persona del plural del Indefinido: **fue**ron: **fue**ra o **fue**se; **tuvie**ron: **tuvie**ra o **tuvie**se; **supie**ron: **supie**ra o **supie**se...

ALGUNOS VERBOS IRREGULARES

SER / IR

fuera	o	**fuese**
fueras	o	**fueses**
fuera	o	**fuese**
fuéramos	o	**fuésemos**
fuerais	o	**fueseis**
fueran	o	**fuesen**

TENER

tuviera	o	**tuviese**
tuvieras	o	**tuvieses**
tuviera	o	**tuviese**
tuviéramos	o	**tuviésemos**
tuvierais	o	**tuvieseis**
tuvieran	o	**tuviesen**

 Se usa en oraciones condicionales y en otras construcciones subordinadas que exigen Subjuntivo.

Si **fuera** mayor, viajaría mucho.
Camina como si **llevara** piedras en los zapatos.
Era una pena que **tuviera** que dejar de estudiar. Así que pidió una beca.

Construcciones impersonales

SE + verbo en 3ª persona

En clase no **se puede** comer.
Se pone aceite y, luego, un poco de cebolla.
En este zoo **se ven** pingüinos, osos, leones...

verbo en 2ª persona

En Vigo **puedes** hacer excursiones, **te puedes** bañar...
Pones aceite y, luego, un poco de cebolla.

Perífrasis

 Las perífrasis son construcciones verbales que se forman con dos verbos: uno conjugado (que cambia su significado habitual) y otro en forma no personal (Infinitivo o Gerundio).

 Para expresar obligación y prohibición.

DEBER + Infinitivo

El Estado **debe proteger** a los ciudadanos.

NO DEBER + Infinitivo

Los niños **no deben ir** acostarse tarde.

TENER QUE + Infinitivo

Tenemos que consumir más alimentos frescos.

HABER DE + Infinitivo

He de ir a casa de mis abuelos.
Has de ponerte crema. Estás rojo.

HAY QUE + Infinitivo

Hay que ponerse mucha crema solar.

→ Para expresar inicio.

PONERSE A + Infinitivo

Siempre **se pone a llorar** cuando ve un perro.

EMPEZAR / COMENZAR A + Infinitivo

Empezó /comenzó a nevar cuando salían del cine.

→ Para expresar interrupción.

DEJAR DE + Infinitivo

Emilio, **deja de ver** la tele y ponte a estudiar.

→ Para expresar duración.

LLEVAR + Gerundio

Llevo dos horas **esperándote**.
Toni y yo **llevamos** seis meses **saliendo**.

→ Para expresar continuidad.

SEGUIR + Gerundio

¿**Sigues trabajando** en la misma empresa?

→ Para referirnos un futuro muy próximo.

ESTAR A PUNTO DE + Infinitivo

Está a punto de llegar. Tardará tres minutos.

→ Para referirnos a un pasado muy reciente.

ACABAR DE + Infinitivo

¿Luis? **Acaba de entrar** en casa. Espera, que lo llamo.

→ Para expresar repetición.

VOLVER A + Infinitivo

Suspendí Mates en febrero y ahora **he vuelto a sacar** una mala nota.

La gran chuleta de gramática

Ser y estar

USOS DE SER

Para identificar

Esto **es** un regalo para ti.
San José **es** la capital de Costa Rica.

Para hablar de cualidades permanentes

Berta **es** muy simpática.
¿Has visto mi bolso? **Es** grande, rojo, de tela…
El fuego **es** peligroso.

USOS DE ESTAR

Posición y ubicación

Pablo **está** tumbado en el jardín.
Pablo **está** en la cocina.
San José **está** en Costa Rica.

Para hablar de características temporales

Hoy Alba **está** muy guapa.
Estás morena, ¿has ido a la piscina?
Pablo **está** de mal humor.

Para hablar del resultado de una acción

Este boli **está** estropeado.
Esta planta **está** muerta.
La ventana del comedor **está** abierta.

Con **bien / mal**
Este disco **está** muy **bien**.
Santi ya **está bien**, pero ha estado muy enfermo.
Esto **está mal**. Trece más nueve son veintidós.

ACENTUACIÓN

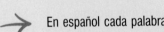 En español cada palabra tiene una sílaba fuerte (llamada tónica) y ésta puede ocupar diferentes lugares.

PALABRAS ESDRÚJULAS   …■□□

Hay dos sílabas después de la tónica.
lágrima, **án**gulo

PALABRAS LLANAS   …■□

Hay una sílaba después de la tónica.
mundo, car**te**ro

PALABRAS AGUDAS   …■

La sílaba tónica es la última sílaba.
a**mor**, encon**tró**

La mayoría de palabras en español son llanas.

USO DE LA TILDE

 En español, sólo se acentúan las sílabas tónicas.

PALABRAS ESDRÚJULAS

Se escriben con tilde siempre: **quí**mica, auto**má**tica.

PALABRAS LLANAS

Se escriben con tilde cuando no terminan en vocal, ni en **n** ni en **s**: di**fí**cil, **lá**piz, a**zú**car

PALABRAS AGUDAS

Se escriben con tilde cuando terminan en vocal, en **n** o en **s**: escribi**ré**, cora**zón**, To**más**

TILDE DIACRÍTICA

 Las palabras monosílabas no llevan tilde, excepto cuando es necesario diferenciar palabras que se escriben igual.

SIN TILDE	CON TILDE
el: artículo masculino	**él**: pronombre personal
si: conjunción	**sí**: adverbio de afirmación o pronombre personal
tu: posesivo	**tú**: pronombre personal
mi: posesivo	**mí**: pronombre personal
te: pronombre personal	**té**: bebida o planta
se: pronombre personal	**sé**: forma del verbo saber/ser
de: preposición	**dé**: forma del verbo dar
solo: adjetivo	**sólo**: adverbio

Él dice que prefiere ir en barco: **el** avión le da miedo.
● **Si** quieres, te digo una cosa.
○ **Sí**, dímela, por favor.
Me gusta **tu** hermano. Me gustas **tú**.
Para **mí, mi** hermano es muy buena persona.
¿**Te** traigo un **té** con azúcar?
Sé que no **se** hablan, pero no me han dicho por qué.

 Las partículas interrogativas o exclamativas (**qué, cuál, quién, cuándo, dónde**…) llevan tilde.

● Digo lo **que** veo y lo **que** pienso.
○ ¿**Qué** ves? ¿**Qué** piensas?

DIPTONGO

 Un **diptongo** es un conjunto de dos vocales: una abierta (**a**, **e**, **o**) y una cerrada (**i**, **u**), o bien de dos cerradas (**i**, **u**) en una misma sílaba.

ai-re	m**ue**-vo	r**ui**-do	d**iu**r-no

 Si tenemos una vocal cerrada más una vocal abierta y la cerrada se pronuncia tónica, ésta se acentúa:

Ma-**rí**-a   ~~Ma-ria~~   po-e-**sí**-a   ~~po-e-sia~~

La **gran chuleta** de **gramática**

RECURSOS PARA LA COMUNICACIÓN

CONTROL DE LA COMUNICACIÓN

¿Cómo se escribe tu apellido?
¿Se escribe con uve / acento / hache...?
¿Cómo se escribe "zapato"?
¿Se escribe con mayúscula o con minúscula?
¿Cómo se pronuncia "joven"?
¿"Biología" **lleva acento?**
¿Cómo se dice *table* **en español?**
¿Cómo se llama esto en español?
¿Qué significa "cuaderno"?
¿Cuál es la diferencia entre "algún" **y** "ningún"?
¿En qué página estamos?
¿En qué ejercicio estamos?
¿Cómo dice/s?
¿Qué ha/s dicho? No le/te he oído.
¿Puede/s hablar más alto, por favor?
¿Puede/s hablar más despacio, por favor?
¿Puede/s repetirlo, por favor?
¿Puede/s escribirlo en la pizarra?
¿Puede/s explicarlo otra vez? No lo he entendido bien.
¿Puede/s volverlo a explicar?
¿Puede/s poner un ejemplo?
¿Me deja/s el diccionario?
¿Podemos usar el libro / diccionario?
¿Podemos hacerlo en parejas / grupos?

DESCRIBIR A PERSONAS

Lleva barba / gafas / zapatos de tacón / el pelo teñido de rubio /...
Tiene el pelo rizado / los ojos azules /...
Se ha hecho un *piercing* / un tatuaje /...

No es ni alto **ni** bajo.
Es más bien gordito / alto /...

Es muy / bastante / poco / un poco tímido/a.
Es una persona un poco especial.
Es un niño / una niña / un chico / una chica / un señor / una señora /... muy amable.

HABLAR DE ESTADOS DE ÁNIMO

Silvia **está enfadada con** su hermano.
Está nerviosa / de mal humor / triste / contenta / preocupada/...

HABLAR DE CAMBIOS FÍSICOS

Mario **ha adelgazado.**
    ha engordado.
    ha crecido.
    se ha cortado el pelo.
    se ha dejado el pelo largo.
    se ha rizado el pelo.
    se ha teñido el pelo.
    se ha hecho mayor.
    se ha puesto lentillas.

Antes **era más** bajito.
    estaba más delgado.

COMPARAR CUALIDADES

¿Quién es más alto, tú o tu hermana?
¿Cuál de los dos es **el más alto**?

Éste **no es tan** bonito **como** el otro.
El verde **es tan** caro **como** el azul.

DESCRIBIR E IDENTIFICAR UN LUGAR

Es un lugar / un sitio / un pueblo /... muy bonito.
Es una isla / una ciudad / una región /... preciosa.

Es un pueblo en la montaña.
Es una ciudad en el norte.

Es una región con muchos lagos.
Es una ciudad con mucha vida nocturna.

REFERIRNOS A LA DISTANCIA

¿Cuántos kilómetros hay desde León **hasta** Vigo?
¿Cuántos kilómetros hay entre Ávila **y** Vigo?
Está a (unos) 35 km **de** aquí.
Está (muy / bastante) lejos.
Está (muy / bastante) cerca.

EXPRESAR LA DURACIÓN

He estado **dos días** en Madrid.
He estado viajando sin parar **durante** dos días.
Desde el lunes **hasta** el jueves estaré en León.

¿Cuánto hace que conoces a Julia?
¿Hace mucho que sales con Iván?

Hace 10 años.
Hace tres meses que la conozco.
Hace mucho que nos conocemos.

Llevo tres años **estudiando** alemán.

EXPRESAR GUSTOS Y PREFERENCIAS

Lo que más me gusta es el aguacate.
Lo que menos me gusta son las lentejas.
Me encanta nadar.
Me encantan las palomitas de maíz.
Me gusta mucho ir en bici.
No me gusta demasiado andar.
No me gusta nada cocinar.
Odio ordenar mi cuarto.
Detesto lavar los platos.

EXPRESAR SENTIMIENTOS Y SENSACIONES

¡Qué bien!
¡Qué bueno!
¡Qué rico!
¡Qué guay!
¡Qué divertido!
¡Qué asco!
¡Qué miedo!
¡Qué vergüenza!
¡Qué horror!
¡Qué nervios!
¡Qué rollo!
¡Qué daño!
¡Qué cansancio!
¡Qué frío!
¡Qué susto!

Me da miedo estar a oscuras.
Me pone nervioso/a este tipo de música.
Me da vergüenza hablar delante de toda la clase.
Me da pena no poder ir al concierto.
Me da rabia tener que estudiar el domingo.
No me importa esperar.

REACCIONAR ANTE UN RELATO

● Y entonces él se fue muy enfadado.
○ **¡Qué fuerte!**
   ¡Qué bien!
   ¡Qué suerte!
   ¡Qué mala suerte!
   ¡Qué horror!
   ¡Qué pena!
   ¡Qué gracioso!

¡Qué simpático!
¡No me digas!
¡Anda!

○ **¿Y qué pasó luego?**
   Y entonces, ¿qué hiciste?
   Ah, ¿sí?
   ¿Se fue enfadado?

DIFERENTES GRADOS DE SEGURIDAD

Pienso que estudiaré Química.
Supongo que me casaré algún día.
Seguramente iré a Ibiza en verano.
No sé si me casaré **o no**.
No sé si me casaré, **depende**.

● ¿Ese chico es español?
○ **No sé.**
   No creo.
   Es posible.
   Sí, supongo que sí.
   Sí, creo que sí.
   Sí, seguramente.
   Sí, seguro (que sí).
   Segurísimo.

PEDIR UN CONSEJO

¿Qué puedo hacer para sacar mejores notas?
¿Qué tengo que hacer para conectarme?
¿Qué debo hacer para tener una dirección de correo electrónico?
¿Qué es lo mejor para aprender a hablar un idioma rápidamente?
¿Qué he de hacer para aprobar Matemáticas?

CONSEJOS Y RECOMENDACIONES

Hay que comer fruta y verdura.
No se debe tomar demasiado azúcar.
Es conveniente desayunar bien.
Lo mejor que puedes hacer es comer verdura.
Has de caminar al menos una hora al día.
Tienes que hacer mucho deporte.
Debes leer mucho.
No debes preocuparte.
Va muy bien ver películas en español.

Si lees, **aprenderás** mucho español.
Lee mucho, **así aprenderás** mucho español.

Es muy importante protegerse con una gorra.
No hace falta llevar mochila.
Resulta muy útil llevar unos prismáticos para ver las aves.
Lo mejor es ir andando.

EXPRESAR OBLIGACIÓN

He de ir a casa de mis abuelos.
Tienes que llamar a tus padres.
Debéis llegar puntuales al teatro.

DAR INSTRUCCIONES Y PEDIR ACCIONES

Sentaos.
Mira encima del armario.
Pon primero un poco de mantequilla, **luego añade** la harina y...

ADVERTENCIAS

Ten cuidado con la moto.
Ten en cuenta que puede llover.

PROPONER SOLUCIONES

El Gobierno **debería** construir más guarderías y hospitales **en lugar de** gastar tanto en armas.
Todos **deberíamos** estudiar más idiomas.
Habría que gastar menos agua.
Se debería invertir más en energías limpias.

ORDENAR ALGO CON ENFADO

Te callas **y se acabó**.
Ven **ahora mismo**.
¿Quieres venir **de una vez**?

RECHAZAR LAS PALABRAS DEL INTERLOCUTOR

● No quiero ir.
○ **¡Cómo que no** quieres ir!

● Es pronto.
○ **Pero... ¿qué dices?**
● **Pero si** son las 7 h.

● Dame el libro.
○ **No me da la gana.**

A FAVOR / EN CONTRA

○ **Yo estoy a favor de** la clonación.
● **Yo estoy en contra**.

JUSTIFICAR/SE

● ¿Por qué no quieres llamar a Susana?
○ **Pues porque** no tengo ganas.
 Es que tengo muchos deberes.
 Si es que siempre la llamo yo.

MODO DE REALIZAR UNA ACCIÓN

Entra **silenciosamente**.
Entra **sin decir nada**.
Entra **llorando y gritando**.
Entra **con** un paraguas en la mano.

EXPRESAR FINALIDAD

● **¿Para qué** van a hacer una manifestación?
○ **Para que no cierren** la fábrica.
 Para conservar su trabajo.

PARA EXPRESAR UNA CONTRADICCIÓN

Aunque estudia mucho, no aprueba.
Estudia mucho, **pero** no aprueba.
Estudia mucho **y, sin embargo,** no aprueba.

RELACIONAR ACCIONES SIMULTÁNEAS

Cuando viajo en barco, me mareo.
Siempre que tengo un examen, como mucho.
Cada vez que voy a España, aprendo palabras nuevas.

EXPRESAR CONDICIONES O REQUISITOS

Cuando vayas en bici, **ponte** casco.
Si tienes fiebre, **báñate** con agua fría.
Si consumimos mucha agua, muy pronto **tendremos** problemas.

La gran chuleta de gramática

HACER COMPARACIONES

Esa lámpara **es como** una enorme araña.
Habla **como si** fuera un político.
El lagarto **es como** un cocodrilo, **pero más** pequeño.
El gato **es como** una antena, **pero con** patas.
La alcachofa **es como** una flor, **pero menos** bonita.
La alcachofa **es como** una flor **sin** colores.

EVOCAR SENSACIONES Y SENTIMIENTOS

Me recuerda
La alcachofa **me recuerda a** una mano cerrada.
Las lágrimas **me recuerdan a** las gotas del hielo cuando se derrite.

Me hace pensar en
El sol **me hace pensar en** la playa.
Las bicicletas **me hacen pensar en** el verano.
Cuando veo un gato, **pienso en** tejados.

Me da la sensación de
El avión **me da la sensación de** grandeza.
Las montañas **me dan sensación de** paz.

CONECTORES

PARA ORGANIZAR UN RELATO

Para empezar
Una vez...
Un día...
El otro día...

Para conectar
(Y) entonces...

Para terminar
Al final...
Total, que...
O sea, que...

- **Una vez**, estaba yo en la playa con mi novio y del agua salió una tortuga gigante. Nos acercamos **y entonces** se metió otra vez en el agua.
  ○ **O sea, que** no la pudiste tocar.
- Pues no, pero nos quedamos esperando tres horas y **al final** ¡vimos focas!

Para reformular
Es decir...
O sea...

Para ordenar argumentos
En primer / segundo/... lugar...
Por una parte...
Por otra parte
Por un lado...
Por otro lado...
Por último...

Para añadir argumentos
Además...
Por otro lado...
Por otra parte...

Hablar de la causa
Esto es debido a (que)
Esto se debe a (que)...
Esto es así porque...

Para expresar la consecuencia
Por eso,...
Por tanto,...
Por lo que...

En verano, el consumo de energía en esta zona es insostenible. **Es decir**, consumimos más energía de la que podemos producir. Las causas del problema son dos: **por una parte**, la población aumenta considerablemente en esta época del año **por lo que** el consumo es mayor, y, **por otra parte**, los canales para hacer llegar la energía a la zona son insuficientes. **Por eso**, algunos políticos proponen la construcción de una nueva línea de alta tensión.

Para pedir confirmación de una información u opinión
Es muy bonito, **¿verdad?**
Es tu hermano, **¿no?**

Para añadir informaciones
Es muy caro, **(y) además**, no me gusta mucho.
Le escribí, le mandé un correo electrónico...
Incluso le llamé.

Para contrastar informaciones
Laura es muy estudiosa, **en cambio**, su hermano Manuel es muy perezoso.

Verbos

verbos

VERBOS REGULARES

INDICATIVO

Presente	Pretérito Imperfecto	Pretérito Indefinido	Pretérito Perfecto verbo **haber** + Participio*	Pret. Pluscuamperfecto verbo **haber** + Participio*	Futuro

ESTUDIAR Gerundio: estudi**ando** Participio: estudi**ado**

estudi**o**	estudi**aba**	estudi**é**	**he** estudi**ado**	**había** estudi**ado**	estudiar**é**
estudi**as**	estudi**abas**	estudi**aste**	**has** estudi**ado**	**habías** estudi**ado**	estudiar**ás**
estudi**a**	estudi**aba**	estudi**ó**	**ha** estudi**ado**	**había** estudi**ado**	estudiar**á**
estudi**amos**	estudi**ábamos**	estudi**amos**	**hemos** estudi**ado**	**habíamos** estudi**ado**	estudiar**emos**
estudi**áis**	estudi**abais**	estudi**asteis**	**habéis** estudi**ado**	**habíais** estudi**ado**	estudiar**éis**
estudi**an**	estudi**aban**	estudi**aron**	**han** estudi**ado**	**habían** estudi**ado**	estudiar**án**

COMER Gerundio: com**iendo** Participio: com**ido**

com**o**	com**ía**	com**í**	**he** com**ido**	**había** com**ido**	comer**é**
com**es**	com**ías**	com**iste**	**has** com**ido**	**habías** com**ido**	comer**ás**
com**e**	com**ía**	com**ió**	**ha** com**ido**	**había** com**ido**	comer**á**
com**emos**	com**íamos**	com**imos**	**hemos** com**ido**	**habíamos** com**ido**	comer**emos**
com**éis**	com**íais**	com**isteis**	**habéis** com**ido**	**habíais** com**ido**	comer**éis**
com**en**	com**ían**	com**ieron**	**han** com**ido**	**habían** com**ido**	comer**án**

VIVIR Gerundio: viv**iendo** Participio: viv**ido**

viv**o**	viv**ía**	viv**í**	**he** viv**ido**	**había** viv**ido**	vivir**é**
viv**es**	viv**ías**	viv**iste**	**has** viv**ido**	**habías** viv**ido**	vivir**ás**
viv**e**	viv**ía**	viv**ió**	**ha** viv**ido**	**había** viv**ido**	vivir**á**
viv**imos**	viv**íamos**	viv**imos**	**hemos** viv**ido**	**habíamos** viv**ido**	vivir**emos**
viv**ís**	viv**íais**	viv**isteis**	**habéis** viv**ido**	**habíais** viv**ido**	vivir**éis**
viv**en**	viv**ían**	viv**ieron**	**han** viv**ido**	**habían** viv**ido**	vivir**án**

INDICATIVO		CONDICIONAL	SUBJUNTIVO	
Imperativo Afirmativo	Imperativo Negativo	Simple	Presente	Imperfecto

ESTUDIAR Gerundio: estudi**ando** Participio: estudi**ado**

		estudiar**ía**	estudi**e**	estudi**ara**	o	estudi**ase**
estudi**a**	no estudi**es**	estudiar**ías**	estudi**es**	estudi**aras**	o	estudi**ases**
estudi**e**	no estudi**e**	estudiar**ía**	estudi**e**	estudi**ara**	o	estudi**ase**
		estudiar**íamos**	estudi**emos**	estudi**áramos**	o	estudi**ásemos**
estudi**ad**	no estudi**éis**	estudiar**íais**	estudi**éis**	estudi**arais**	o	estudi**aseis**
estudi**en**	no estudi**en**	estudiar**ían**	estudi**en**	estudi**aran**	o	estudi**asen**

COMER Gerundio: com**iendo** Participio: com**ido**

		comer**ía**	com**a**	com**iera**	o	com**iese**
com**e**	no com**as**	comer**ías**	com**as**	com**ieras**	o	com**ieses**
com**a**	no com**a**	comer**ía**	com**a**	com**iera**	o	com**iese**
		comer**íamos**	com**amos**	com**iéramos**	o	com**iésemos**
com**ed**	no com**áis**	comer**íais**	com**áis**	com**ierais**	o	com**ieseis**
com**an**	no com**an**	comer**ían**	com**an**	com**ieran**	o	com**iesen**

VIVIR Gerundio: viv**iendo** Participio: viv**ido**

		vivir**ía**	viv**a**	viv**iera**	o	viv**iese**
viv**e**	no viv**as**	vivir**ías**	viv**as**	viv**ieras**	o	viv**ieses**
viv**a**	no viv**a**	vivir**ía**	viv**a**	viv**ieras**	o	viv**iese**
		vivir**íamos**	viv**amos**	viv**iéramos**	o	viv**iésemos**
viv**id**	no viv**áis**	vivir**íais**	viv**áis**	viv**ierais**	o	viv**ieseis**
viv**an**	no viv**an**	vivir**ían**	viv**an**	viv**ieran**	o	viv**iesen**

* PARTICIPIOS IRREGULARES

abrir	abierto	**escribir**	escrito	**ir**	ido	**romper**	roto
cubrir	cubierto	**freír**	frito/freído	**morir**	muerto	**ver**	visto
decir	dicho	**hacer**	hecho	**poner**	puesto	**volver**	vuelto

VERBOS IRREGULARES

INDICATIVO						CONDICIONAL	SUBJUNTIVO	
Presente	Pretérito Imperfecto	Pretérito Indefinido	Futuro	Imperativo Afirmativo	Imperativo Negativo	Simple	Presente	Imperfecto

CAER Gerundio: cayendo **Participio:** caído

caigo	caía	caí	caeré			caería	caiga	cayera	o cayese
caes	caías	caíste	caerás	cae	no caigas	caerías	caigas	cayeras	o cayeses
cae	caía	cayó	caerá	caiga	no caiga	caería	caiga	cayera	o cayese
caemos	caíamos	caímos	caeremos			caeríamos	caigamos	cayéramos	o cayésemos
caéis	caíais	caísteis	caeréis	caed	no caigáis	caeríais	caigáis	cayerais	o cayeseis
caen	caían	cayeron	caerán	caigan	no caigan	caerían	caigan	cayeran	o cayesen

CONOCER Gerundio: conociendo **Participio:** conocido

conozco	conocía	conocí	conoceré			conocería	conozca	conociera	o conociese
conoces	conocías	conociste	conocerás	conoce	no conozcas	conocerías	conozcas	conocieras	o conocieses
conoce	conocía	conoció	conocerá	conozca	no conozca	conocería	conozca	conociera	o conociese
conocemos	conocíamos	conocimos	conoceremos			conoceríamos	conozcamos	conociéramos	o conociésemos
conocéis	conocíais	conocisteis	conoceréis	conoced	no conozcáis	conoceríais	conozcáis	conocierais	o conocieseis
conocen	conocían	conocieron	conocerán	conozcan	no conozcan	conocerían	conozcan	conocieran	o conociesen

DAR Gerundio: dando **Participio:** dado

doy	daba	di	daré			daría	dé	diera	o diese
das	dabas	diste	darás	da	no des	darías	des	dieras	o dieses
da	daba	dio	dará	dé	no dé	daría	dé	diera	o diese
damos	dábamos	dimos	daremos			daríamos	demos	diéramos	o diésemos
dais	dabais	disteis	daréis	dad	no deis	daríais	deis	dierais	o dieseis
dan	daban	dieron	darán	den	no den	darían	den	dieran	o diesen

DECIR Gerundio: diciendo **Participio:** dicho

digo	decía	dije	diré			diría	diga	dijera	o dijese
dices	decías	dijiste	dirás	di	no digas	dirías	digas	dijeras	o dijeses
dice	decía	dijo	dirá	diga	no diga	diría	diga	dijera	o dijese
decimos	decíamos	dijimos	diremos			diríamos	digamos	dijéramos	o dijésemos
decís	decíais	dijisteis	diréis	decid	no digáis	diríais	digáis	dijerais	o dijeseis
dicen	decían	dijeron	dirán	digan	no digan	dirían	digan	dijeran	o dijesen

DORMIR Gerundio: durmiendo **Participio:** dormido

duermo	dormía	dormí	dormiré			dormiría	duerma	durmiera	o durmiese
duermes	dormías	dormiste	dormirás	duerme	no duermas	dormirías	duermas	durmieras	o durmieses
duerme	dormía	durmió	dormirá	duerma	no duerma	dormiría	duerma	durmiera	o durmiese
dormimos	dormíamos	dormimos	dormiremos			dormiríamos	durmamos	durmiéramos	o durmiésemos
dormís	dormíais	dormisteis	dormiréis	dormid	no durmáis	dormiríais	durmáis	durmierais	o durmieseis
duermen	dormían	durmieron	dormirán	duerman	no duerman	dormirían	duerman	durmieran	o durmiesen

ESTAR Gerundio: estando **Participio:** estado

estoy	estaba	estuve	estaré			estaría	esté	estuviera	o estuviese
estás	estabas	estuviste	estarás	está	no estés	estarías	estés	estuvieras	o estuvieses
está	estaba	estuvo	estará	esté	no esté	estaría	esté	estuviera	o estuviese
estamos	estábamos	estuvimos	estaremos			estaríamos	estemos	estuviéramos	o estuviésemos
estáis	estabais	estuvisteis	estaréis	estad	no estéis	estaríais	estéis	estuvierais	o estuvieseis
están	estaban	estuvieron	estarán	estén	no estén	estarían	estén	estuvieran	o estuviesen

HABER Gerundio: habiendo **Participio:** habido

he	había	hube	habré			habría	haya	hubiera	o hubiese
has	habías	hubiste	habrás	he**		habrías	hayas	hubieras	o hubieses
ha/hay*	había	hubo	habrá			habría	haya	hubiera	o hubiese
hemos	habíamos	hubimos	habremos			habríamos	hayamos	hubiéramos	o hubiésemos
habéis	habíais	hubisteis	habréis			habríais	hayáis	hubierais	o hubieseis
han	habían	hubieron	habrán			habrían	hayan	hubieran	o hubiesen

* impersonal
** única forma en uso

verbos

VERBOS IRREGULARES

VERBOS IRREGULARES

HACER Gerundio: haciendo Participio: hecho

INDICATIVO						CONDICIONAL	SUBJUNTIVO	
Presente	Pretérito Imperfecto	Pretérito Indefinido	Futuro	Imperativo Afirmativo	Imperativo Negativo	Simple	Presente	Imperfecto
hago	hacía	hice	haré			haría	haga	hiciera o hiciese
haces	hacías	hiciste	harás	haz	no hagas	harías	hagas	hicieras o hicieses
hace	hacía	hizo	hará	haga	no haga	haría	haga	hiciera o hiciese
hacemos	hacíamos	hicimos	haremos			haríamos	hagamos	hiciéramos o hiciésemos
hacéis	hacíais	hicisteis	haréis	haced	no hagáis	haríais	hagáis	hicierais o hicieseis
hacen	hacían	hicieron	harán	hagan	no hagan	harían	hagan	hicieran o hiciesen

INCLUIR Gerundio: incluyendo Participio: incluido

Presente	Pretérito Imperfecto	Pretérito Indefinido	Futuro	Imperativo Afirmativo	Imperativo Negativo	Simple	Presente	Imperfecto
incluyo	incluía	incluí	incluiré			incluiría	incluya	incluyera o incluyese
incluyes	incluías	incluiste	incluirás	incluye	no incluyas	incluirías	incluyas	incluyeras o incluyeses
incluye	incluía	incluyó	incluirá	incluya	no incluya	incluiría	incluya	incluyera o incluyese
incluimos	incluíamos	incluimos	incluiremos			incluiríamos	incluyamos	incluyéramos o incluyésemos
incluís	incluíais	incluisteis	incluiréis	incluid	no incluyáis	incluiríais	incluyáis	incluyerais o incluyeseis
incluyen	incluían	incluyeron	incluirán	incluyan	no incluyan	incluirían	incluyan	incluyeran o incluyesen

IR Gerundio: yendo Participio: ido

Presente	Pretérito Imperfecto	Pretérito Indefinido	Futuro	Imperativo Afirmativo	Imperativo Negativo	Simple	Presente	Imperfecto
voy	iba	fui	iré			iría	vaya	fuera o fuese
vas	ibas	fuiste	irás	ve	no vayas	irías	vayas	fueras o fueses
va	iba	fue	irá	vaya	no vaya	iría	vaya	fuera o fuese
vamos	íbamos	fuimos	iremos			iríamos	vayamos	fuéramos o fuésemos
vais	ibais	fuisteis	iréis	id	no vayáis	iríais	vayáis	fuerais o fueseis
van	iban	fueron	irán	vayan	no vayan	irían	vayan	fueran o fuesen

JUGAR Gerundio: jugando Participio: jugado

Presente	Pretérito Imperfecto	Pretérito Indefinido	Futuro	Imperativo Afirmativo	Imperativo Negativo	Simple	Presente	Imperfecto
juego	jugaba	jugué	jugaré			jugaría	juegue	jugara o jugase
juegas	jugabas	jugaste	jugarás	juega	no juegues	jugarías	juegues	jugaras o jugases
juega	jugaba	jugó	jugará	juegue	no juegue	jugaría	juegue	jugara o jugase
jugamos	jugábamos	jugamos	jugaremos			jugaríamos	juguemos	jugáramos o jugásemos
jugáis	jugabais	jugasteis	jugaréis	jugad	no juguéis	jugaríais	juguéis	jugarais o jugaseis
juegan	jugaban	jugaron	jugarán	jueguen	no jueguen	jugarían	jueguen	jugaran o jugasen

MOVER Gerundio: moviendo Participio: movido

Presente	Pretérito Imperfecto	Pretérito Indefinido	Futuro	Imperativo Afirmativo	Imperativo Negativo	Simple	Presente	Imperfecto
muevo	movía	moví	moverán			movería	mueva	moviera o moviese
mueves	movías	moviste	moverás	mueve	no muevas	moverías	muevas	movieras o movieses
mueve	movía	movió	moverá	mueva	no mueva	movería	mueva	moviera o moviese
movemos	movíamos	movimos	moveremos			moveríamos	movamos	moviéramos o moviésemos
movéis	movíais	movisteis	moveréis	moved	no mováis	moveríais	mováis	movierais o movieseis
mueven	movían	movieron	moverán	muevan	no muevan	moverían	muevan	movieran o moviesen

OÍR Gerundio: oyendo Participio: oído

Presente	Pretérito Imperfecto	Pretérito Indefinido	Futuro	Imperativo Afirmativo	Imperativo Negativo	Simple	Presente	Imperfecto
oigo	oía	oí	oiré			oiría	oiga	oyera o oyese
oyes	oías	oíste	oirás	oye	no oigas	oirías	oigas	oyeras o oyeses
oye	oía	oyó	oirá	oiga	no oiga	oiría	oiga	oyera o oyese
oímos	oíamos	oímos	oiremos			oiríamos	oigamos	oyéramos o oyésemos
oís	oíais	oísteis	oiréis	oíd	no oigáis	oiríais	oigáis	oyerais o oyeseis
oyen	oían	oyeron	oirán	oigan	no oigan	oirían	oigan	oyeran o oyesen

PENSAR Gerundio: pensando Participio: pensado

Presente	Pretérito Imperfecto	Pretérito Indefinido	Futuro	Imperativo Afirmativo	Imperativo Negativo	Simple	Presente	Imperfecto
pienso	pensaba	pensé	pensaré			pensaría	piense	pensara o pensase
piensas	pensabas	pensaste	pensarás	piensa	no pienses	pensarías	pienses	pensaras o pensases
piensa	pensaba	pensó	pensará	piense	no piense	pensaría	piense	pensara o pensase
pensamos	pensábamos	pensamos	pensaremos			pensaríamos	pensemos	pensáramos o pensásemos
pensáis	pensabais	pensasteis	pensaréis	pensad	no penséis	pensaríais	penséis	pensarais o pensaseis
piensan	pensaban	pensaron	pensarán	piensen	no piensen	pensarían	piensen	pensaran o pensasen

VERBOS IRREGULARES

INDICATIVO						CONDICIONAL	SUBJUNTIVO	
Presente	Pretérito Imperfecto	Pretérito Indefinido	Futuro	Imperativo Afirmativo	Imperativo Negativo	Simple	Presente	Imperfecto

PERDER Gerundio: perdiendo Participio: perdido

pierdo	perdía	perdí	perderé			perdería	pierda	perdiera *o* perdiese
pierdes	perdías	perdiste	perderás	pierde	no pierdas	perderías	pierdas	perdieras *o* perdieses
pierde	perdía	perdió	perderá	pierda	no pierda	perdería	pierda	perdiera *o* perdiese
perdemos	perdíamos	perdimos	perderemos			perderíamos	perdamos	perdiéramos *o* perdiésemos
perdéis	perdíais	perdisteis	perderéis	perded	no perdáis	perderíais	perdáis	perdierais *o* perdieseis
pierden	perdían	perdieron	perderán	pierdan	no pierdan	perderían	pierdan	perdieran *o* perdiesen

PODER Gerundio: pudiendo Participio: podido

puedo	podía	pude	podré			podría	pueda	pudiera *o* pudiese
puedes	podías	pudiste	podrás	puede	no puedas	podrías	puedas	pudieras *o* pudieses
puede	podía	pudo	podrá	pueda	no pueda	podría	pueda	pudiera *o* pudiese
podemos	podíamos	pudimos	podremos			podríamos	podamos	pudiéramos *o* pudiésemos
podéis	podíais	pudisteis	podréis	poded	no podáis	podríais	podáis	pudierais *o* pudieseis
pueden	podían	pudieron	podrán	puedan	no puedan	podrían	puedan	pudieran *o* pudiesen

PONER Gerundio: poniendo Participio: puesto

pongo	ponía	puse	pondré			pondría	ponga	pusiera *o* pusiese
pones	ponías	pusiste	pondrás	pon	no pongas	pondrías	pongas	pusieras *o* pusieses
pone	ponía	puso	pondrá	ponga	no ponga	pondría	ponga	pusiera *o* pusiese
ponemos	poníamos	pusimos	pondremos			pondríamos	pongamos	pusiéramos *o* pusiésemos
ponéis	poníais	pusisteis	pondréis	poned	no pongáis	pondríais	pongáis	pusierais *o* pusieseis
ponen	ponían	pusieron	pondrán	pongan	no pongan	pondrían	pongan	pusieran *o* pusiesen

QUERER Gerundio: queriendo Participio: querido

quiero	quería	quise	querré			querría	quiera	quisiera *o* quisiese
quieres	querías	quisiste	querrás	quiere	no quieras	querrías	quieras	quisieras *o* quisieses
quiere	quería	quiso	querrá	quiera	no quiera	querría	quiera	quisiera *o* quisiese
queremos	queríamos	quisimos	querremos			querríamos	queramos	quisiéramos *o* quisiésemos
queréis	queríais	quisisteis	querréis	quered	no queráis	querríais	queráis	quisierais *o* quisieseis
quieren	querían	quisieron	querrán	quieran	no quieran	querrían	quieran	quisieran *o* quisiesen

REÍR Gerundio: riendo Participio: reído

río	reía	reí	reiré			reiría	ría	riera *o* riese
ríes	reías	reíste	reirás	ríe	no rías	reirías	rías	rieras *o* rieses
ríe	reía	rió	reirá	ría	no ría	reiría	ría	riera *o* riese
reímos	reíamos	reímos	reiremos			reiríamos	riamos	riéramos *o* riésemos
reís	reíais	reísteis	reiréis	reíd	no riáis	reiríais	riáis	rierais *o* rieseis
ríen	reían	rieron	reirán	rían	no rían	reirían	rían	rieran *o* riesen

SABER Gerundio: sabiendo Participio: sabido

sé	sabía	supe	sabré			sabría	sepa	supiera *o* supiese
sabes	sabías	supiste	sabrás	sabe	no sepas	sabrías	sepas	supieras *o* supieses
sabe	sabía	supo	sabrá	sepa	no sepa	sabría	sepa	supiera *o* supiese
sabemos	sabíamos	supimos	sabremos			sabríamos	sepamos	supiéramos *o* supiésemos
sabéis	sabíais	supisteis	sabréis	sabed	no sepáis	sabríais	sepáis	supierais *o* supieseis
saben	sabían	supieron	sabrán	sepan	no sepan	sabrían	sepan	supieran *o* supiesen

SALIR Gerundio: saliendo Participio: salido

salgo	salía	salí	saldré			saldría	salga	saliera *o* saliese
sales	salías	saliste	saldrás	sal	no salgas	saldrías	salgas	salieras *o* salieses
sale	salía	salió	saldrá	salga	no salga	saldría	salga	saliera *o* saliese
salimos	salíamos	salimos	saldremos			saldríamos	salgamos	saliéramos *o* saliésemos
salís	salíais	salisteis	saldréis	salid	no salgáis	saldríais	salgáis	salierais *o* salieseis
salen	salían	salieron	saldrán	salgan	no salgan	saldrían	salgan	salieran *o* saliesen

verbos

VERBOS IRREGULARES

INDICATIVO						CONDICIONAL	SUBJUNTIVO	
Presente de Indicativo	Pretérito Imperfecto	Pretérito Indefinido	Futuro	Imperativo Afirmativo	Imperativo Negativo	Simple	Presente	Imperfecto

SENTIR Gerundio: sintiendo Participio: sentido

siento	sentía	sentí	sentiré			sentiría	sienta	sintiera	o	sintiese
sientes	sentías	sentiste	sentirás	siente	no sientas	sentirías	sientas	sintieras	o	sintieses
siente	sentía	sintió	sentirá	sienta	no sienta	sentiría	sienta	sintiera	o	sintiese
sentimos	sentíamos	sentimos	sentiremos			sentiríamos	sintamos	sintiéramos	o	sintiésemos
sentís	sentíais	sentisteis	sentiréis	sentid	no sintáis	sentiríais	sintáis	sintierais	o	sintieseis
sienten	sentían	sintieron	sentirán	sientan	no sientan	sentirían	sientan	sintieran	o	sintiesen

SER Gerundio: siendo Participio: sido

soy	era	fui	seré			sería	sea	fuera	o	fuese
eres	eras	fuiste	serás	sé	no seas	serías	seas	fueras	o	fueses
es	era	fue	será	sea	no sea	sería	sea	fuera	o	fuese
somos	éramos	fuimos	seremos			seríamos	seamos	fuéramos	o	fuésemos
sois	erais	fuisteis	seréis	sed	no seáis	seríais	seáis	fuerais	o	fueseis
son	eran	fueron	serán	sean	no sean	serían	sean	fueran	o	fuesen

SERVIR Gerundio: sirviendo Participio: servido

sirvo	servía	serví	serviré			serviría	sirva	sirviera	o	sirviese
sirves	servías	serviste	servirás	sirve	no sirvas	servirías	sirvas	sirvieras	o	sirvieses
sirve	servía	sirvió	servirá	sirva	no sirva	serviría	sirva	sirviera	o	sirviese
servimos	servíamos	servimos	serviremos			serviríamos	sirvamos	sirviéramos	o	sirviésemos
servís	servíais	servisteis	serviréis	servid	no sirváis	serviríais	sirváis	sirvierais	o	sirvieseis
sirven	servían	sirvieron	servirán	sirvan	no sirvan	servirían	sirvan	sirvieran	o	sirviesen

TENER Gerundio: teniendo Participio: tenido

tengo	tenía	tuve	tendré			tendría	tenga	tuviera	o	tuviese
tienes	tenías	tuviste	tendrás	ten	no tengas	tendrías	tengas	tuvieras	o	tuvieses
tiene	tenía	tuvo	tendrá	tenga	no tenga	tendría	tenga	tuviera	o	tuviese
tenemos	teníamos	tuvimos	tendremos			tendríamos	tengamos	tuviéramos	o	tuviésemos
tenéis	teníais	tuvisteis	tendréis	tened	no tengáis	tendríais	tengáis	tuvierais	o	tuvieseis
tienen	tenían	tuvieron	tendrán	tengan	no tengan	tendrían	tengan	tuvieran	o	tuviesen

TRAER Gerundio: trayendo Participio: traído

traigo	traía	traje	traeré			traería	traiga	trajera	o	trajese
traes	traías	trajiste	traerás	trae	no traigas	traerías	traigas	trajeras	o	trajeses
trae	traía	trajo	traerá	traiga	no traiga	traería	traiga	trajera	o	trajese
traemos	traíamos	trajimos	traeremos			traeríamos	traigamos	trajéramos	o	trajésemos
traéis	traíais	trajisteis	traeréis	traed	no traigáis	traeríais	traigáis	trajerais	o	trajeseis
traen	traían	trajeron	traerán	traigan	no traigan	traerían	traigan	trajeran	o	trajesen

VENIR Gerundio: viniendo Participio: venido

vengo	venía	vine	vendré			vendría	venga	viniera	o	viniese
vienes	venías	viniste	vendrás	ven	no vengas	vendrías	vengas	vinieras	o	vinieses
viene	venía	vino	vendrá	venga	no venga	vendría	venga	viniera	o	viniese
venimos	veníamos	vinimos	vendremos			vendríamos	vengamos	viniéramos	o	viniésemos
venís	veníais	vinisteis	vendréis	venid	no vengáis	vendríais	vengáis	vinierais	o	vinieseis
vienen	venían	vinieron	vendrán	vengan	no vengan	vendrían	vengan	vinieran	o	viniesen

VER Gerundio: viendo Participio: visto

veo	veía	vi	veré			vería	vea	viera	o	viese
ves	veías	viste	verás	ve	no veas	verías	veas	vieras	o	vieses
ve	veía	vio	verá	vea	no vea	vería	vea	viera	o	viese
vemos	veíamos	vimos	veremos			veríamos	veamos	viéramos	o	viésemos
veis	veíais	visteis	veréis	ved	no veáis	veríais	veáis	vierais	o	vieseis
ven	veían	vieron	verán	vean	no vean	verían	vean	vieran	o	viesen

El español mes a mes

El español mes a mes

Enero

día 6

LOS REYES MAGOS
España

En muchos países de tradición católica, desde hace muchos siglos, el 6 de enero se celebra la festividad de los **Reyes Magos**. En España y en los países de habla hispana, es costumbre dejar regalos a los niños (y también, por extensión, a los mayores) en la noche del día 5 de enero. Los niños creen que son los reyes quienes han puesto los regalos. En Uruguay, el 6 de enero se llama "Día de los niños".

Febrero

día de Carnaval

LA DIABLADA
Bolivia

En la ciudad minera de Oruro se celebra, durante la fiesta del Carnaval, la **Diablada**, un baile de inspiración católica. Se trata de una danza multitudinaria en la que los bailarines van vestidos con máscaras de demonios o de ángeles; simboliza la lucha del Bien contra el Mal y la derrota de los siete pecados capitales.

Marzo

días 19 a 20

LAS FALLAS
Valencia, España

Entre el 12 y el 19 de marzo se celebra, en Valencia, la fiesta de las **Fallas**, que son unas enormes esculturas hechas de papel y cartón sobre una armazón de madera. Estas esculturas se colocan por las calles de Valencia y se queman la noche del día 19 entre fuegos artificiales, explosiones, pólvora y enormes llamaradas. Cada año, los muñecos de las Fallas satirizan los acontecimientos sociales y políticos más destacados del año.

Abril

día 23

DÍA DEL LIBRO, SANT JORDI
Cataluña, España

En Cataluña, el 23 de abril se celebra **Sant Jordi** (San Jorge). Las calles se llenan de puestos de libros y de rosas, ya que es tradición regalarlos a las personas queridas. Además, este día se conmemora en todo el mundo el aniversario de la muerte de tres escritores: Miguel de Cervantes, William Shakespeare y El Inca Garcilaso de la Vega (cronista y escritor peruano). Por esta razón, la UNESCO proclamó el 23 de abril como el Día Mundial del Libro y del Derecho de Autor.

Mayo

primera semana

EL PALO DE MAYO
Nicaragua

Es una de las fiestas más importantes del caribe nicaragüense, sobre todo de la ciudad de Bluefields. Es una fiesta de culto al árbol y a la fecundidad. Cientos de bailarines danzan alrededor de un tronco plantado en el suelo, adornado con cintas de colores vistosos y con dulces, que representa un árbol y sus frutos. Mientras bailan, trenzan las cintas al árbol. El **Palo de Mayo** se celebra también en otras localidades del Caribe de Panamá, de Venezuela y de Colombia.

Junio

día 24

INTI RAYMI
Perú

El 24 de junio se celebra en la ciudad de Cuzco la fiesta de **Inti Raymi**, que marca el solsticio de invierno. Es una fiesta heredada de los incas y de su adoración al sol. Tiene lugar en la fortaleza de Sacsayhuamán (a dos kilómetros de Cuzco) y representa la ceremonia tal y como se habría desarrollado en el pasado, pero ahora ante miles de turistas.

Julio
días 6 a 14

LOS SANFERMINES
Pamplona, España

En España, en la ciudad de Pamplona, el 7 de julio, día de San Fermín, se celebran los **Sanfermines**, fiestas que duran una semana y que son famosas en todo el mundo por los encierros de toros. Los pamploneses corren por las calles de seguidos de una manada de toros, con gran peligro de caídas o heridas, hasta llegar a la plaza donde encierran a los toros. Más tarde, tienen lugar las corridas.

Agosto
primera semana

FERIA DE LAS FLORES
Medellín, Colombia

El origen de la **Feria de las flores de Medellín** es que los campesinos bajaban de las montañas todas las variedades de flores de la región para venderlas o para adornar los altares de las iglesias. La feria, que dura varios días, consiste en exposiciones de flores, cabalgatas, música y desfiles de jinetes (silleteros) que llevan las sillas de montar con enormes adornos florales.

Septiembre
día 15

FIESTA DE LA INDEPENDENCIA
Hispanoamérica

El 15 de septiembre de 1821, las llamadas "provincias de Centroamérica" se proclamaron independientes de la Corona Española. Por esta razón, en el mes de septiembre México, Guatemala, Nicaragua, Costa Rica, Honduras y El Salvador celebran su **fiesta de la Independencia**.
El día 18 de septiembre también la celebra Chile, aunque la independencia se declaró en este país años más tarde, en 1828.

Octubre

día 12

12 DE OCTUBRE
Hispanoamérica y España

Según los historiadores, el **12 de octubre** del año 1492, Colón llegó a las tierras de América. Este día se celebra en toda Hispanoamérica. Es una fiesta muy controvertida: para unos se celebra el orgullo de pertenecer a una cultura marginada durante años; para otros, no es motivo de celebración, ya que la conquista estuvo marcada por el racismo y por el genocidio. En más de un país americano se ha propuesto cambiar el nombre por el de "día de la resistencia india".

Noviembre

día 1

NOCHE DE MUERTOS
Michoacán, México

En Michoacán (en el oeste de México), el día de Todos los santos (1 de noviembre), las mujeres y los niños de la isla acuden al cementerio, a media noche, encienden velas y colocan ofrendas de flores y de comida sobre la tumba de sus familiares y seres queridos. Los hombres no entran en el cementerio, se limitan a observar la fiesta desde lejos. La **Noche de muertos** se celebra en todo México.

Diciembre

días 24 y 25

NAVIDAD
Hispanoamérica y España

Las fiestas de **Navidad** tienen gran importancia en todos los países hispanos. Los elementos característicos comunes son la Misa y la cena de Navidad que se celebran la noche del 24 al 25 de diciembre; los villancicos (canciones de Navidad); y los belenes, portales o pesebres (representaciones en miniatura del nacimiento de Jesús que se hacen en las casas y en las iglesias).